LA NOVELA ROMANTICA EN HISPANOAMERICA

LA NOVELA ROMANTICA
EN HISPANOAMERICA

por

MARGUERITE C. SUÁREZ-MURIAS

ASSOCIATE PROFESSOR
THE AMERICAN UNIVERSITY
WASHINGTON, D. C.

HISPANIC INSTITUTE
IN THE UNITED STATES
NEW YORK
1963

PRINTED IN SPAIN

Depósito Legal: S. 30 - 1963   N.º Registro: SA. 321 - 1963

TALLERES GRÁFICOS CERVANTES.—RONDA SANCTI-SPÍRITUS, 9.—SALAMANCA

A DON FEDERICO DE ONIS, Ilustre literato y maestro de las letras hispánicas.

INDICE

INTRODUCCION

La historia de la novela romántica en Hispanoamérica abarca un período máximo de 1832 a 1888. Se entiende aquí por *novela*, una obra literaria en prosa en que se transpone un ciclo de acción, urdido a semejanza de la vida, a una realidad artística. Se emplea la expresión *romántica* únicamente como atributo de *escuela*. Se indica como *escuela romántica* la que fue en Hispanoamérica reflejo progresivo del movimiento romántico europeo, según su desarrollo en Alemania, Francia, Inglaterra, Estados Unidos e Italia, pero cuya influencia vino en su mayor parte a través de España. Los límites últimos del período de la novela romántica quedan señalados al imponerse el estilo realista o naturalista, sobreviviendo alguna que otra obra posterior de rezagado estilo.

En la aplicación de los términos fundamentales de la escuela romántica europea a las letras americanas, surgieron variantes, que reflejan las características autóctonas que forman la esencia del individualismo hispanoamericano. Definir ese individualismo en el género de la novela a través de su historia es el objeto de este trabajo.

Para presentar el panorama histórico de la novela romántica en Hispanoamérica, se ha trazado el desarrollo individual de la novela en los diecinueve países de habla española.

El desarrollo del género en cada país no fue aislado. Hubo esferas de influencia entre países vecinos que sugieren una comunidad cultural. Donde las corrientes literarias no son tan evidentes, se han agrupado los países por comunidad geográfica. Esto explica el encabezamiento de las cinco partes de esta obra, aunque la numeración de los capítulos sea continua. Se han presentado las partes en orden cronológico, según la aparición y desarrollo de la novela romántica en los países de cada grupo.

Dentro de las partes, cada país forma un capítulo. En algunos países donde, por excepción, la novela tuvo un desarrollo inicial fuera de los límites generales del período romántico en Hispanoamérica, se indica simplemente el género de las primeras obras que se escribieron.

Para explicar históricamente los elementos estéticos e idealistas que contribuyeron a caracterizar la novela romántica hispanoamericana, se ha señalado la formación de núcleos literarios en aquellos países en que la novela se formó, con mayor entusiasmo, como consecuencia de una conciencia colectiva. En algunos casos, se destacaron maestros que expresaron su dogmas literarios, concebidos en términos americanos o específicamente nacionales. Se ha tomado en cuenta aquí su influencia en el desarrollo de la novela romántica en Hispanoamérica.

El desarrollo temático de una novela implica cierta extensión de la obra; si no, resultaría la novela una narración abreviada. Sería una *novelita*. Tal es la acepción del término *novelita* usado en este trabajo, sin ninguna implicación valorativa. Por definición, debería quedar excluida de este texto. Se incluye con reservas. La novelita romántica aparece en la literatura hispanoamericana como la primera manifestación del género, salvo en México, donde la novela se había manifestado ya, a partir de 1816, como un desarrollo en otro plano literario de las tendencias de la Ilustración del siglo XVIII.

En la clasificación general de las novelas románticas aparece en primer término la *novela sentimental,* de fondo idealista, cuyo tema dominante era la historia de amor del héroe. Los modelos se remontaban, partiendo de Rousseau, al *Werther* de Goethe (1774), a *Paul et Virginie* de Bernardin de St. Pierre (1787) y a *René* de Chateaubriand (1802). Luego se apreciaron mucho las novelas sentimentales de Lamartine.

Relacionada con la novela sentimental, queda la *novela indianista,* también idealista, cuya tendencia exalta lo peregrino y exótico, otra característica del romanticismo. Los héroes son los indígenas del Nuevo Mundo, representados ideológicamente según el modelo de las novelas de Chateaubriand, *Atala* (1801) y *Les Natchez* (1826), que tienen por

panorama la América del Norte. El escenario de una naturaleza exótica es comparable al descrito en *Paul et Virginie*
de Bernardin de St. Pierre.

El gusto por lo peregrino y remoto, característica también del romanticismo, encontró su expresión en Europa en
el pasado medieval, de donde surgió la *novela histórica*. El
maestro fue Sir Walter Scott y le siguieron Víctor Hugo y
Manzoni. En Hispanoamérica se admiró en particular la originalidad autóctona de James Fenimore Cooper. En el estilo
de novelas episódicas, fue muy popular Alejandro Dumas,
padre. Al ser interpretado el tema histórico por los novelistas románticos hispanoamericanos, adquirió el género características propias.

Entre las novelas episódicas de fondo sentimental o histórico, llegó a ser muy popular la figura del héroe rebelde.
En la novela romántica hispanoamericana, aparecen el gaucho, el bandido, el pirata, etc.

Como género literario, el *cuadro de costumbres* fue especialmente favorecido en Hispanoamérica, a tal punto que
llegó a ser una forma de expresión nacionalista. Vino de España y fue adaptado a la novela romántica. El costumbrismo floreció en España como ilación del romanticismo, siendo sus tres más destacados cultivadores Mariano José de
Larra, el más popular en Hispanoamérica, Ramón de Me-
sonero Romanos y Serafín Estébanez Calderón. El *cuadro*
era un artículo en forma narrativa o dramática, de breve
extensión, en el cual se caracterizaban, con nota festiva o
crítica, las costumbres o escenas típicas del país. En la *novela costumbrista* los cuadros guardan casi tanto interés
como la trama. En ocasiones la desplazan, desintegrando la
unidad de la obra. El costumbrismo se asociaba intuitiva-
mente en Hispanoamérica con el estilo de Balzac, a través
de quien vislumbraron anticipadamente el realismo algunos
novelistas hispanoamericanos.

La novela romántica en Hispanoamérica tuvo en ocasio-
nes mayor alcance que el de su función artística de recrear.
Contenía a veces una exposición crítica, ya política o social.
Tal era la *novela de tesis*. En algunas obras, que resultaban

las más genuinas, la tesis se presentaba en un cuadro condicionado por las circunstancias del país, a través de un desarrollo histórico, sentimental o costumbrista. En Cuba, en particular, surgió una novela abolicionista. Pero, por lo general, servían de modelo a estas obras de preocupación social (según indicación de los propios románticos hispanoamericanos) Víctor Hugo, George Sand y Eugenio Sue.

Con el romanticismo se popularizó la *novela de folletín*. Se le dio este nombre por aparecer en serie en la parte inferior de las planas de los periódicos, separada por una línea transversal. Recortando el folleto, que aparecía ya paginado, se formaba el libro. Se prestaba el sistema a una continuidad narrativa casi ilimitada, por lo cual el interés de la novela recaía en la intriga de los episodios que el autor se cuidaba de dejar pendientes. A veces la popularidad de un periódico se imponía por sus codiciados folletines. Alejandro Dumas, padre, fue muy popular en el género. Al concretarse el novelista al interés de la trama, se resentía el estilo, y de ahí que la palabra *folletinesca* llegara a significar, por implicación, pobre y descuidado estilo. Eugenio Sue, el representante típico del género de folletín en Francia, fue igualmente popular en Hispanoamérica, aunque modelo de lamentables y descalabrados engendros. También muy populares fueron los novelistas españoles Manuel Fernández y González, de quien se dice que escribió unas trescientas novelas, principalmente de tema histórico, y Enrique Pérez Escrich, quien prefirió, en general, asuntos morales para sus novelas por entregas.

Esta es la clasificación básica adoptada en este trabajo de los tipos de novelas románticas que se escribieron en Hispanoamérica a mediados del siglo XIX, durante un promedio de cuatro décadas. Se verá que a lo largo de la historia de la novela romántica en cada país se fueron perfilando ciertas características y tendencias comunes, las cuales, en un cuadro comparado, definen la novela romántica en Hispanoamérica.

En el estudio particular de cada país, se ha tomado en cuenta la suma total de las novelas románticas, pero se ha tratado de evitar llegar a una aglomeración indiscriminada, por escrúpulos de inventariarlo todo. Se ha hecho, en cambio, una agrupación calificada por evaluación individual y relativa. De la selección de novelas representativas sobresalen las obras maestras. Se considera una novela obra maestra cuando tiene, en conjunto, máximo valor estilístico de escuela, intrínseca simpatía humana, y, en el caso particular de la novela de este período formativo, el gusto por lo autóctono.

Todas estas consideraciones generales quedan pormenorizadas en la conclusión de esta obra, después del estudio por países de la novela romántica en Hispanoamérica.

PRIMERA PARTE

LAS ANTILLAS: CUBA, PUERTO RICO Y SANTO DOMINGO

La novela romántica en las Antillas, a excepción de Santo Domingo, se desarrolló en un ambiente político y económico colonial que determinó en muchos aspectos las características del género. En Cuba, a la par de una breve iniciación de novela abolicionista, floreció enseguida la costumbrista, creando un estilo de acentuado individualismo nacional. Animosidades político-económicas forzaron la publicación de las obras más nacionalistas en el extranjero. En Puerto Rico, el desarrollo fue tardío y es muy posible que la censura colonial ocasionara el escapismo temático que se observa en la novela de aquel período. La obra maestra puertorriqueña que produjo el romanticismo fue retirada de la circulación por el gobierno de la Isla a causa de sus ideas liberales. En Santo Domingo, la novelística fue escasísima pero produjo en los límites del período romántico una obra maestra histórica colonial de absoluto objetivismo, como había de esperarse de un país que gozaba hacía tiempo de su independencia.

En la comunidad de las tres Antillas mayores, cada país creó una obra maestra de novela romántica nacional: en Cuba, en el género costumbrista, *Cecilia Valdés* (1882), de Cirilo Villaverde; en Puerto Rico, una novela de tesis política, de índole sentimental, *La peregrinación de Bayoán* (1863), de Eugenio María de Hostos; y en Santo Domingo, como novela histórica, *Enriquillo* (1882), de Manuel de Jesús Galván. En el caso de las dos colonias, Cuba y Puerto Rico, las obras se publicaron en el extranjero.

I

CUBA

La novela romántica cubana se formó al estímulo de las tertulias literarias que se celebraban en la Habana en casa del ilustre y joven literato DOMINGO DELMONTE (1804-1853), a partir de 1835. Delmonte, según el decir del más joven de los contertulios:

> Era el patriarca de toda la pandilla literaria de buen gusto[1].

Su casa, cuenta otro discípulo:

> Estaba siempre llena de jóvenes literatos, atraídos por la elegancia de sus maneras, la suavidad de sus amonestaciones, el acierto de sus críticas, la modestia de su carácter, la paciencia con que todo lo escuchaba, la prolijidad con que corregía cualquiera producción, las palabras alentadoras con que inducía a seguir trabajando, y la firmeza y el decoro con que sostenía sus opiniones. Aquella hermosa biblioteca suya, que encerraba en las más elegantes ediciones la flor de la literatura antigua y moderna, hallábase siempre a disposición de sus amigos[2].

En esa especie de academia:

> Cada cual leía la obra que había escrito, leíase a presencia de unos cuantos amigos, discutíase libremente sobre sus bellezas y defectos, introducíanse en ella las correcciones convenidas, llevábase a la prensa, y se tornaba después a examinarla muchas veces en la repetición de aquellas gratas conferencias[3].

[1] JOSÉ ZACARÍAS GONZÁLEZ DEL VALLE: Carta a Anselmo Suárez y Romero, ed. Francisco González del Valle, "La vida literaria en Cuba (1836-40)", *Cuadernos de Cultura*, 1938, IV serie, núm. 5, pág. 54.
[2] ANSELMO SUÁREZ Y ROMERO: "Prólogo", *Obras* de Ramón de Palma, Habana, El Tiempo, 1861, pág. VII.
[3] *Loc. cit.*

Asistían, además, a las tertulias de Domingo Delmonte, intelectuales ya bastante señalados en otras ramas, como el célebre naturalista Felipe Poey (1799-1891). Los jóvenes de la nueva generación ampliaban sus conocimientos en las reuniones que se celebraban en casa del gran filósofo y educador JOSÉ DE LA LUZ Y CABALLERO (1800-1862), quien en su viaje de estudio (1828-31) había tenido ocasión de conocer a Longfellow, Ticknor, Walter Scott, Humboldt, etc.[4]. Organizador de los estudios filosóficos en Cuba había sido, primero, el erudito padre Félix Varela y Morales (1788-1853). Su discípulo, el insigne educador y publicista JOSÉ ANTONIO SACO (1797-1879), lo sustituyó en la cátedra, y éste, al verse obligado a ausentarse de la isla por sus ideas políticas (1824), dejó en su lugar a Luz y Caballero.

Las veladas literarias delmontinas suplían la falta de la Academia Literaria por la cual había tan calurosamente abogado José Antonio Saco, secundado por Luz y Caballero, el mismo Delmonte, Poey y otros. Pero el gobierno no deseaba ver una academia que fuera independiente de la establecida Sociedad Patriótica, y al insistir Saco, se tomó el hecho como pretexto para desterrar al activo polemista por orden del general Tacón.

Domingo Delmonte no llegó a distinguirse como escritor o poeta, pero como dijo de él José Antonio Saco, contribuyó poderosamente a difundir el buen gusto literario en el país[5]. Delmonte había nacido en Venezuela de padres dominicanos. A los seis años su familia fijó su residencia en Cuba. Delmonte recibió la Licenciatura en Leyes. De estudiante fue compañero de José María Heredia (1803-1839), el primer cantor lírico-romántico de Hispanoamérica, quien, como tributo de su estrecha amistad, le dedicaría desde Toluca su tomo de versos[6]. Delmonte participó en la fracasada conspiración de los Rayos y Soles de Bolívar (1823) que le costó a Heredia el destierro. En 1828 realizó un viaje

---

[4] JUAN J. REMOS: *Historia de la literatura cubana,* Habana, Cárdenas & Cía., 1945, II vol., pág. 226.
[5] FRANCISCO CALCAGNO: *Diccionario biográfico cubano,* Nueva York, N. Ponce de León, 1878, pág. 237.
[6] *Ibid.,* pág. 233.

a los Estados Unidos y España, volviendo por París al año siguiente. En Filadelfia publicó una edición de las poesías de Juan Nicasio Gallego (1829). De vuelta en la Habana, fue redactor principal del semanario ilustrado *La Moda,* en el cual dio a conocer a Byron y a Goethe, Gallego y Jovellanos. Allí también publicó sus *Romances cubanos,* que tienen el mérito de la novedad del tema[7]. Delmonte tuvo muchos imitadores en este género de poesía criollista en Cuba, Puerto Rico y Santo Domingo[8]. El ilustre literato dejó inéditos un *Diccionario de voces cubanas,* una *Bibliografía cubana* y un *Teatro de la Isla Fernandina.* Colaboró en numerosos periódicos. Fue presidente de las secciones de educación y literatura de la Sociedad Económica de Amigos del País. De su extensa correspondencia con literatos en el extranjero y con sus propios discípulos, la Academia de Historia de Cuba ha publicado un *Centón epistolario* (1823-1853) en seis volúmenes. Acusado de participar en planes revolucionarios, abandonó la Isla, estableciéndose definitivamente en Madrid.

El legado más valioso de Delmonte a la cultura nacional fue la dirección que prestó a la juventud literaria del país. En cuanto a la novela, las ideas y tendencias que iban a formar el género y a constituir su individualidad nacional se formaron en las veladas literarias delmontinas, en donde se podían discutir libremente temas sociales y cívicos a la par de los literarios. Los primeros que ensayaron la novela entre los contertulios delmontinos fueron Ramón de Palma (1812-1860) y Cirilo Villaverde (1812-1894).

RAMÓN DE PALMA fue poeta y prosista. En 1837 insertó en *El Aguinaldo Habanero* un pequeño relato indianista, *Matanzas y Yumurí,* explicando el origen legendario de esos nombres geográficos. El ambiente poético en que viven Ornofay y la hermosa Guarina se torna en tragedia cuando

---

[7] José A. Fernández de Castro: "Introducción", *Escritos de Domingo Delmonte y Aponte,* Habana, Cultural, 1929, I vol., páginas. xiv-xv.
[8] Pedro Henríquez Ureña: *Las corrientes literarias en la América Hispana,* México, Fondo de Cultura Económica, 1949, pág. 147.

unos españoles llegan al pueblo indio con objeto de rescatar una familia española, sobreviviente de un naufragio. El *behique* o sacerdote se había enamorado de la niña española y por sus maliciosos designios, ocurre la terrible matanza de indios.

Al año siguiente, Palma publicó en *El Album* dos novelitas, *Una Pascua en San Marcos* y *El cólera en la Habana*. La primera es un drama pasional en el que figuran una joven de buena familia, una mujer casada de la sociedad habanera y un joven donjuanesco, supuesto pretendiente de aquélla. A pesar de la lección moral que forzadamente presenta el autor al fin del relato, el público censuró la obra. *El cólera en la Habana* interesó por el encadenamiento dramático de la historia[9]. Estas dos novelitas fueron las más notables entre sus narraciones.

El interés cívico de los jóvenes escritores de aquella época fue muy pronunciado. Para ellos, el único tema de inspiración era Cuba, y al presentar la sociedad que los rodeaba, aprovechaban la oportunidad para hacer crítica social. Crearon así un nacionalismo cívico y cultural, que en el orden político no era posible. El costumbrismo que venía de España, y muy en particular el de Larra, se prestaba perfectamente a la exaltación de lo criollo y a las preocupaciones cívicas. Ligados al grupo delmontino se hallaban los primeros costumbristas cubanos. El costumbrismo entró en la novela y constituyó una de sus características permanentes.

CIRILO VILLAVERDE fue el maestro del costumbrismo romántico. Es el novelista cubano del siglo XIX. Se ensayó primero con cuatro narraciones breves: *El ave muerta, La peña blanca, El perjurio* y *La cueva de Taganana*. Aparecieron en la revista *Miscelánea de Util y Agradable Recreo*. Fueron criticadas por Ramón de Palma por su artificiosa confección y alguna incorrección de estilo. Más alentadora fue la crítica que dedicó Palma a su siguiente producción, *El espetón de oro*, novelita sobre una venganza de honor

---

[9] A. M. ELIGIO DE LA PUENTE: "Introducción", *Cuentos cubanos* de Ramón de Palma, Habana, Cultural, 1928, págs. xix-xxvii.

infundada. Se publicó en *El Album,* en 1838[10]. En la misma
revista apareció este año *Una excursión a Vuelta Abajo,*
obra cuyo contenido se resume en el título y en la cual se
revelan con acierto las cualidades descriptivas y costumbristas del autor. Sigue una extensa novelita, *Teresa,* en
1839. Para esa fecha se publica el primer tomo de *Cecilia
Valdés* y el triunfo de Villaverde es decisivo. Su obra maestra, sin embargo, había de esperar cuarenta años antes de
ser revisada y concluida.

Al mismo tiempo en que se apreciaban los primeros ensayos de Villaverde, aparecieron otras obras que merecen
mencionarse. En 1838 salió en *El Aguinaldo* una novelita
titulada *Antonelli,* de otro contertulio delmontino, JOSÉ
ANTONIO ECHEVERRÍA (1815-1855), patriota, poeta y autor
de *Historiadores de Cuba.* Su novelita *Antonelli* ocurre en
el siglo XVI y tiene toda la gracia de una novela romántica
en miniatura, con embozados, espadas que se cruzan y se-
renatas al pie del balcón en noche de luna. En la villa de
San cristóbal de la Habana, se desarrolla la tragedia de
amor en que figuran el ingeniero Juan Bautista Antonelli,
comisionado por Felipe II para construir el castillo del
Morro; Lupercio Gelabert, sobrino del gobernador de la
Isla, y Casilda, prototipo romántico, de quien se enamoran
ambos jóvenes. En la novelita aparece un tipo de criollo
pendenciero, un *guachinango,* que por venganza personal
causa el fin trágico de Francisco y Casilda. Ambos caen de
las murallas del castillo del Morro sin que pueda salvarlos
Antonelli.

La novela histórica no fue muy cultivada en Cuba. CI-
RILO VILLAVERDE dio a conocer en 1844 *El penitente,* en
El Faro Industrial. Es un drama pasional truculento, pro-
movido por la venganza de una mestiza india. Lo histórico
se resume a una referencia al sitio de Panzacola por la ar-
mada de Gálvez contra los ingleses, en el cual figura el héroe. Como cuadro costumbrista tiene la descripción de una
casa cubana del siglo XVIII y la apacible vida de sus moradores. También queda pintada la procesión de media no-

[10]   *Ibid.*

che de los penitentes que se hacía entonces durante Semana Santa. Tanto en la novelita de Echeverría como en esta novela breve, la influencia proviene de Walter Scott, a quien Villaverde cita en el prólogo. Más adelante, la poetisa GERTRUDIS GÓMEZ DE AVELLANEDA, dentro de una influencia europea más compleja, escribió una novela y algunas novelitas históricas de temas extranjeros.

Para la época a que se viene haciendo referencia, lo que interesaba y preocupaba a la juventud que asistía al círculo delmontino era el problema de la esclavitud. La trata de esclavos había sido prohibida en 1815, y en 1817, por un tratado entre Inglaterra y España, pero seguía practicándose clandestinamente. La economía del país dependía del trabajo del negro en los ingenios y plantaciones. El tema del esclavo no se podía tratar abiertamente. José Antonio Saco suscitó la censura de las autoridades al abogar por la supresión del tráfico en la *Revista Bimestre* (1832)[11]. Con el grito de Yara en 1868, los cubanos decretaron la abolición de la esclavitud y otorgaron a los guerrilleros negros iguales derechos que a los demás revolucionarios. Declarada la paz de la infructuosa guerra en 1878, el gobierno español se vio obligado a reconocer la libertad concedida a los veteranos negros. Los demás esclavos de la Isla hubieron de esperar hasta 1880 para su emancipación legal. José Antonio Saco escribió una obra monumental sobre la *Historia de la esclavitud*. Publicó los cuatro primeros tomos en Barcelona y París entre 1875-79. El quinto y sexto (inconcluso) se editaron póstumamente en la Habana años después.

Los jóvenes literatos del círculo delmontino decidieron iniciar a su manera los primeros pasos en favor del infeliz esclavo. Dirigidos por Domingo Delmonte, compraron la libertad del poeta esclavo Francisco Manzano por quinientos pesos, suma máxima que podía pedirse entonces por un esclavo. Se propusieron abogar en pro de los esclavos, describiendo su estado de vida y los tratos inhumanos que recibían. Surgió una literatura abolicionista que circulaba en

---

[11] FRANCISCO GONZÁLEZ DEL VALLE: "La vida literaria en Cuba", *Cuadernos de Cultura*, 1938, IV serie, n. 5, pág. 7.

manuscrito. Las primeras obras de este género fueron la novelita de Félix Manuel Tanco y Bosmeniel (1797-1871), *Petrona y Rosalía* (1838) y la novela corta de Anselmo Suárez y Romero (1818-1878), *Francisco* (1839).

Tanco era colombiano de nacimiento. Vivía en Matanzas y asistió allí a las primeras tertulias de Delmonte. Cuando éste se trasladó a la Habana (1835), se estableció entre ellos una correspondencia en la cual se advierte la vehemencia de Tanco al hablar de la esclavitud y del coloniaje. La historia que narra en su novelita es forzada y cruda, pero produce el efecto deseado. El esclavo llegó a formar parte de toda obra que reflejara la sociedad cubana. Ya Tanco insistía en su prólogo:

> No será perfecta o completa cualquiera descripción o pintura de costumbres cubanas, si no se comprenden los esclavos que tienen parte tan principal en ellas. Dividida nuestra población en blancos y negros, sería pintar a medias, o dibujar un perfil de nuestra sociedad, y no su fisonomía entera como debe de ser[12].

La novelita circuló en manuscrito en 1838. De ella dijo uno de los jóvenes novelistas en la Habana:

> Yo creo que su obra debe correr lo posible, porque viéndonos retratados, comenzaremos por odiar el retrato y acabaremos por mejorarnos a nosotros mismos[13].

La novela *Francisco* de Anselmo Suárez y Romero fue también escrita a instancias de Delmonte. Según relata el autor en el prólogo, el Sr. Richard Madden, comisionado inglés en la Habana para el Tribunal Mixto de Arbitración en asuntos de la trata, había pedido al humanista Domingo Delmonte algunas composiciones de escritores cubanos con

---

[12] Félix M. Tanco y Bosmeniel: "Escenas de la vida privada en Cuba (Petrona y Rosalía)", *Cuba Contemporánea*, 1925, año 13, XXXIX, n. 156, pág. 255.

[13] J. Z. González del Valle: cartas, "La vida literaria en Cuba", pág. 59.

objeto de saber la opinión de la juventud intelectual sobre
la trata y la esclavitud. Como Suárez había tenido que ausentarse de la Habana por asuntos de familia, remitía desde
el campo los borradores a su antiguo compañero de estudios, José Zacarías González del Valle, quien los corregía
y copiaba para luego entregárselos a la crítica del maestro
y al aprecio de los contertulios. Si demoraba la remesa de
un capítulo, crecía la impaciencia de todos. Así se compuso
la primera novela criolla esclavista, por la inspiración de
un joven de veinte años y las atinadas observaciones de un
compañero de dieciocho.

José Zacarías González del Valle (1820-1851), abogado y profesor, era el más joven de los asistentes a las tertulias de Delmonte. Escribió versos y algunas novelitas sentimentales breves que aparecieron en las revistas de la época.
Carmen y Adela (episodio de la cólera de 1833) y el cuento
Una nube en el cielo es lo mejor de su producción. Datan
de 1838.

En 1838, cuando Anselmo Suárez componía su novela
Francisco, su joven compañero le escribía:

> Estoy acabando de leer un tomo en cuarto titulado
> *Estudios de la vida privada,* escrito en francés por
> Balzac... Delmonte, a cuyo favor y amistad debo su
> lectura, quiere que tú también participes de ella... Su
> mérito está en lo bien que corresponde el desempeño
> al título de *Estudio de las costumbres del siglo XIX* y
> de *Escenas de la vida privada* que le pone al libro.
> Allí se deja este hombre eminente de aquel estilo ama-
> nerado y falso de Víctor Hugo, para hablar del modo
> más claro y comprensible. No prepara los sucesos ar-
> tificiosamente, sino que cumpliendo con su propósito,
> coloca a sus personajes en lo interior de su casa, des-
> cribe estas casas con doble mérito acaso que Walter
> Scott... y en fin, los muestra obrando y sufriendo allí
> de la manera más *social,* si puedo expresarme así, por-
> que él jamás los aisla del mundo. Sus combates son de
> la tierra, las pasiones influyen en el hogar doméstico,

y no hay lance de sus novelas que no huela a gente de esta raza humana a que pertenecemos... Balzac es un modelo para todo novelista que quiera desempeñar bien su encargo; nadie como él ha sabido internarse en los más retraídos apartamientos de una casa para contar punto por punto lo que pasa realmente en el mundo; ni nadie tampoco ha penetrado tanto al hombre y mucho más a la mujer[14].

En otra ocasión añade:

No pierdas la oportunidad de descubrir los pensamientos tristes y conmovedores de Francisco, el estado de su alma, su verdadera índole. Balzac es el novelista que sabe tal vez interesar a los lectores con cualquier cosa, nada más que por la oportunidad *psicológica* con que se entra por la inteligencia y el corazón de sus personajes...[15].

A medida que Anselmo Suárez redactaba desde el campo su novela, estaba escribiendo un estudio sobre Comte, y le pedía a su amigo que siguiera mandándole artículos de Larra. Aquél le incluía además clásicos del Siglo de Oro, y al enviarle en una ocasión los tomos de *Nuestra Señora de París* (prestados por Delmonte) le escribe:

¡Va una apuesta a que no te gustan tanto como la primera vez que los leíste! Pasó ciertamente la época de tan exagerado romanticismo; y por más que no quieras, aplicarás a sus descripciones, plan y remate la crítica más severa[16].

Esto era en 1839.

El manuscrito revisado de *Francisco* fue entregado al Sr. Madden junto con algunas composiciones del poeta Manzano y de otros del grupo delmontino. Años después, cuando Suárez y Romero preparaba la edición de su novela, no había podido recuperar su antiguo manuscrito revisado

14 *Ibid.*, págs. 50-52.
15 *Ibid.*, pág. 68.
16 *Ibid.*, pág. 167.

y usó el propio. En el prólogo a la edición de 1880 hecha en Nueva York, atribuye a las corrrecciones de su amigo los elogios que mereció de Cirilo Villaverde la obra original. Al principio intentó corregir los borradores suyos pero pronto reconoció que la novela, escrita hacía tantos años "con el candor y el desaliño de un joven sin conocimientos de ninguna especie", una vez limada perdía su primitivismo ingenuo, resultaba obra nueva y no la misma que había brotado, dice, "como un involuntario sollozo de mi alma al volver la vista hacia las escenas de la esclavitud[17]. Anselmo Suárez y Romero se distinguió más tarde como estilista con sus excelentes cuadros de costumbres y sus hermosas descripciones románticas de la naturaleza tropical. Su novela *Francisco,* como indica él mismo en el prólogo, se anticipa varios años a *La cabaña del tío Tom* de la autora norteamericana HARRIET BEECHER STOWE, escrita en 1852.

Francisco inició una serie de novelas antiesclavistas: *Sab,* de GERTRUDIS GÓMEZ DE AVELLANEDA, Madrid, 1841 (aunque la autora advierte que la tenía escrita hacía tres años); *El negro Francisco,* del patriota ANTONIO ZAMBRANA uno de los del grupo delmontino, publicada en Santiago de Chile entre los años 1870 y 1875; *Uno de tantos,* de FRANCISCO CALCAGNO, conocido hoy sólo por su *Diccionario biográfico cubano*; y otras novelas más apenas recordadas hoy día.

Hacia la época en que surgieron los primeros ensayos de la novela en Cuba, se tradujo del francés una novela corta, *Historia de sor Inés,* escrita en París por una dama de la sociedad habanera, MARÍA DE LAS MERCEDES SANTA CRUZ Y MONTALVO, condesa de Merlín (1789-1852). La obra formaba parte de *Mis doce primeros años,* publicada un año antes, París, 1831. La condesa de Merlín pasó sus primeros doce años en Cuba en el hogar de su bisabuela y luego vivió con su familia en Madrid. Allí formó sus gustos literarios al lado de su madre, la condesa de Jaruco, a cuyas veladas acudían los más ilustres literatos y los más célebres repre-

---

[17] ANSELMO SUÁREZ Y ROMERO: "Prólogo", *Francisco,* Nueva York, N. Ponce de León, 1880, pág. 4.

sentantes de las bellas artes. Contrajo matrimonio con el conde de Merlín, general de las tropas napoleónicas. Unos años más tarde, en su residencia en París, la distinguida diletante se dedicó a las bellas letras y a la música. En sus días se hablaba del salón de la condesa de Merlín como centro de arte donde se reunía la más selecta sociedad parisiense.

La *Historia de sor Inés,* aunque primicia literaria, es producto de un carácter formado. Aun en la traducción se advierte un estilo decidido y vigoroso, a pesar de ser una confesión sentimental y no obstante el ambiente romántico en que fue escrita. Por un amor contrariado, toma el velo bajo el nombre de sor Inés una joven de la sociedad habanera. En sus confesiones anota la vuelta del joven oficial. La escabrosa historia termina en una escena de naufragio en que mueren los dos amantes frente a las costas de la Florida. Cronológicamente, la *Historia de sor Inés* constituye la primera novela cubana, aunque escrita en francés y fuera del país. Artísticamente, sigue la tradición de confesiones y novelas epistolares iniciada en el orden romántico por Rousseau. A primera vista, sugiere la influencia de Manzoni, de quien pudo haber seguido la autora uno de los episodios secundarios en *Los novios.* El final recuerda el desenlace trágico de la novela de Bernardin de St. Pierre, *Pablo y Virginia.* El convento de Santa Clara en la Habana es evocación de la autora. Allí estuvo de pensionista durante sus primeros años de colegio.

Agustín Palma tradujo *Mis doce primeros años* en 1838 y en esa edición, de Filadelfia, anuncia que la traducción de la *Historia de sor Inés* sería reproducida en el tomo siguiente. Se hicieron varias ediciones en la Habana de estas obras y de otras memorias y biografías que escribió la condesa de Merlín.

En la historia de la novela romántica cubana, se distingue la figura de la gran poetisa GERTRUDIS GÓMEZ DE AVE-LLANEDA (1814-1873). Aunque en su vida literaria se integró a España, sobre su tierra natal dijo en una ocasión:

Amo con toda mi alma la hermosa Patria que me
dio el cielo... siempre he tenido y tendré a grande
honra y a gran favor el que se me coloque entre los
muchos buenos escritores que enriquecen nuestra literatura naciente[18].

Entre las novelas que escribió la Avellaneda, *Sab* fue la
única de inspiración cubana. La autora la dedicó a Alberto
Lista, quien la calificó de "ensayo feliz"[19]. La novela circuló
apenas, hecho que explica la noticia insertada en *El Museo*
de la Habana al reproducirla en sus columnas en 1883:

Se publicó en Madrid, en 1841; pero la corta edición que se hizo fue, en su mayor parte, secuestrada
y retirada de la circulación por los mismos parientes
de la autora, a causa de las ideas abolicionistas que
encierra. Por la misma causa fue excluida de la edición completa de las obras de la Avellaneda, ya que
de seguro se le habría negado la entrada en esta Isla
si hubiera figurado *Sab* en ella[20].

Sab es una obra estilizada dentro de la escuela romántica europea, sin la naturalidad y el sabor criollo que le
prestaba el costumbrismo a la novela contemporánea cubana. Tiene el mérito de una prosa lírica y armoniosa. No
obstante, sus descripciones nativas se resienten de la arbitrariedad de una pintura romántica estereotípica. Sab es el
prototipo del héroe romántico intelectual. El esclavo mulato
se sacrifica por su ama, por quien siente un amor completamente irrealizable. La joven estaba a punto de ser desecha-
da por su prometido, hombre interesado, al descubrir éste
la ruina de su padre. Sab cambia un billete de lotería que
le había regalado su ama por el de ella, cuando ve que ha
salido beneficiado con el premio mayor. Años más tarde se

[18] Carta de la Avellaneda a *El Siglo*, 1868, cit. por DOMINGO
FIGAROLA-CANEDA: *Gertrudis Gómez de Avellaneda*, Madrid, Sociedad Española de Librería, 1929, pág. 243.
[19] Carta de ALBERTO LISTA: *Obras*, la Avellaneda, Madrid,
Rivadeneyra, 1869-71, V vol., pág. 417.
[20] FIGAROLA-CANEDA: *op. cit.*, pág. 77.

descubre la verdad y la señora visita la tumba de su fiel esclavo. El tema de la esclavitud da lugar a largos y vehementes raciocinios filosóficos sobre el derecho de la libertad del hombre expresados por parte de Sab.

Es evidente que la novela *Sab* fue conocida enseguida en Cuba por la crítica que le consagra Cirilo Villaverde en *El Faro Industrial* en 1842[21].

Espatolino se publicó primero en la Habana en 1844 y luego en Madrid en 1858. La figura del héroe corresponde a un bandido que se hizo célebre en Italia durante el reinado de Murat. Fue aprehendido y su causa criminal apareció traducida en una revista de la Habana de la cual la autora tomó los datos para su ficción[22]. En la novela, Espatolino representa el prototipo rebelde romántico que se hace bandido como protesta a las injusticias de la sociedad en que vive, después de una serie de desgracias en la familia. Pero Espatolino, para mayor infortunio, se enamora de Annunziata, la sobrina de un agente de policía, antiguo cómplice del bandido. Mediante los ruegos sinceros de la muchacha, con quien se ha casado, cede ante una promesa de indulto y se entrega. La promesa es una trampa y Annunziata enloquece al comprender la realidad. Aparte de la naturaleza melodramática de la obra, la trama en sí está bien expuesta.

El artista barquero se publicó en la Habana en 1861. Es la historia de amor de un pintor que hace de barquero los domingos en el puerto de Marsella y de una joven cubana de acaudalada familia. Proporciona un cambio favorable en la vida del artista un benefactor desconocido, Montesquieu, y causa el tropiezo amoroso en el camino la Pompadour. Un cuadro de Cuba que pinta para el padre de la joven decide el destino del ya célebre artista y de la hermosa criolla.

Entre 1842-43, la Avellaneda publicó los cuatro volúmenes de su novela *Dos mujeres*. En ella se advierte la influencia de George Sand. La obra es un intento de caracteri-

[21]   *Ibid.*, pág. 79.
[22]   EMILIO COTARELO Y MORI: *La Avellaneda y sus obras*, Madrid, Tipografía de Archivos, 1930, págs. 107-109.

zación de dos tipos opuestos. A instancia de sus consejeros, la Avellaneda no incluyó esta novela ni *Sab* en la edición de sus obras completas de 1869-71[23].

Guatimozín, el último emperador de México se editó en Madrid, en 1846, en Valparaíso, en 1847 y en México, en 1853 y 1887. La extensa novela, trazada en su parte histórica bajo la influencia de Walter Scott e idealizada en el tema indio según la modalidad de Chateaubriand, quedó reducida a "Una anécdota de la vida de Cortés" en la mencionada edición que aprobó la autora de sus obras completas. Además de las novelas principales aquí citadas, la Avellaneda escribió varias novelitas históricas y algunas leyendas más o menos extensas de inspiración europea.

La novela romántica cubana, propiamente dicho, tal como la fueron escribiendo en el país, quedó definitivamente encauzada dentro de la corriente costumbrista. Para algunos autores, el costumbrismo era manera de expresar lo criollo; para otros era, además, la ocasión de aducir una lección moral. Dentro de esta corriente docente, el notable publicista y orador camagüeyano, JOSÉ RAMÓN DE BETANCOURT (1823-1890) escribió una novela muy popular, *Una feria de la Caridad en 183...*, publicada en Camagüey en 1841. Quince años más tarde, según el autor, la corrigió y la amplió ligeramente. La edición de la Habana es de 1858.

Betancourt se propuso evocar, según sus palabras, una época crítica de organización y progreso en Camagüey, de 1835 a 1840.

> Describir, pues, esa época, pintar ese elemento bueno y civilizador, abriéndose paso entre la sencillez de nuestras costumbres, luchando con la ignorancia, con la envidia y con el vicio, bosquejar algún tipo, atacar el cáncer del juego, introduciendo la cuchilla hasta sus ramificaciones más profundas, escribir, en fin, un cuadro camagüeyano que pudiese leer sin rubor nuestra virgen más pura; he aquí mi objeto[24].

---

[23] FIGAROLA-CANEDA: *op. cit.*, pág. 77.
[24] JOSÉ RAMÓN DE BETANCOURT: "Dedicatoria", *Una feria de la Caridad en 183...*, Habana, Soler, 1858, pág. 5.

En las páginas de la novela, José Ramón de Betancourt elogia a varios de sus compatriotas que contribuyeron especialmente al progreso y desarrollo de Camagüey.

La trama se desarrolla, como indica el título de la obra, durante esos días de festividad religiosa que se observaban con mayor entusiasmo en otros tiempos. Es un episodio ficticio de la vida de un bandido que realmente existió. En la novela aparece como el Sr. Morgan. Se introduce en la sociedad camagüeyana para robar mediante el juego. Llega a dominar en particular a un joven, lo arruina completamente y pretende violentar el honor de su familia. Como consecuencia del juego, el joven muere víctima del bandido. El cuñado llega de la Habana a tiempo para salvar la situación. Morgan es aprehendido y enviado preso a la capital. Antes de morir, el bandido escribe a la familia que arruinó una larga carta de arrepentimiento, la cual sirve en la novela de lección moral.

En la corriente de novelas costumbristas aparecen dos obras del jurisconsulto RAMÓN PIÑA (1819-1861), *Gerónimo el honrado* y la *Historia de un bribón dichoso,* publicadas en Madrid en 1859 y 1860, respectivamente. En la primera obra, el estilo de Ramón Piña es *sui generis*: una mezcla de costumbrismo cubano y de prosa cervantina. La trama de la novela, superficialmente complicada por los amores de ocho personajes, es en espíritu bastante cándida. La obra tiene una vena de buen humor desde el principio hasta el fin. Gerónimo, "el honrado", decide, a la muerte de su padre, abandonar su cafetal y ampliar sus conocimientos de la vida viajando. Su primera escala es en la Habana, pero allí le suceden tantas cosas, gracias a su candidez, que ni llega a continuar el viaje. Sin embargo, todo termina relativamente bien. Se casa felizmente y al recibir noticias de que su apoderado está acabando con sus bienes, resuelve volver a su cafetal, satisfecho de vivir en paz.

La crítica social en la novela está sutilmente introducida. Relacionada con las escenas costumbristas, no pasa de ser un mero asombro por parte de Gerónimo al ir de visita y ver la obsesión degradante del juego, al ir a la ópera y al teatro y ver al público entusiasmado con obras tan poco morales como *Norma* y el *Macías*.

La *Historia de un bribón dichoso* es obra más acabada que la anterior. También está escrita con festiva ironía, aunque sin mayor afectación de estilo y exenta de cuadros costumbristas. La trama se resume en el título. Con natural perspicacia y acertados cálculos, don Eustaquio, el bribón dichoso, se casa a sabiendas con una huérfana de la Inclusa, que resulta ser hija de una marquesa. Al enviudar por segunda vez la madre, don Eustaquio se encuentra heredero de dos fortunas y dos títulos, marqués y conde. La misma tendencia estilística de las novelas de Ramón Piña se observa en sus tres comedias *No quiero ser conde* (1848), *Las equivocaciones* y *Dios los junta y ellos se estorban*.

Esteban Pichardo y Tapia (1799-1879), abogado, lexicógrafo y geógrafo, escribió también una novela costumbrista de crítica social, pero con un desenlace de desencadenado romanticismo, como lo indica su título, *El fatalista*. Data de 1856. Pichardo quiso presentar un cuadro histórico, retrocediendo tres o cuatro décadas, para lo cual señala en su "Proemio" el cuidado que ha puesto en evitar anacronismos. Además, también indicó su deseo de

> pintar nuestro mundo como es; anatomizar el cuerpo social cubano en todos sus miembros de uno y otro departamento buscando fácilmente el correctivo posible en los defectos[25].

La crítica más severa es contra el trato de los esclavos. Una serie de cuadros de costumbres de mediocre estilo ocupan la mayor parte de esta larga novela. Hacia el final de la historia, el héroe, contrariado constantemente y convencido de su fatalismo, se vuelve pirata y se hace llamar El Renegado. Comete toda clase de barbaridades y termina su vida haciendo volar su bergantín al reconocer que ha mandado matar a su propio padre. Los cuadros de la vida

[25] Esteban Pichardo y Tapia: "Proemio", *El fatalista*, Habana, Soler, 1866, pág. 4.

social de aquella época en diferentes puntos de la Isla por donde viaja el héroe dan a la obra algún interés.

Hoy día se recuerda a Esteban Pichardo y Tapia por sus extensos y valiosos estudios geográficos sobre la isla de Cuba y como autor del *Diccionario provincial de voces cubanas,* cuya primera edición se hizo en 1836.

La historia del costumbrismo en Cuba forma una unidad con la historia de la novela cubana. Novelistas y costumbristas alternaban en los géneros sin que se destacara nadie en la novela hasta publicarse en su versión acabada la obra maestra de CIRILO VILLAVERDE, *Cecilia Valdés o La Loma del Angel.*

En 1839, el año en que Villaverde terminó el primer tomo de su conocida novela, se trasladó a Matanzas como profesor. Allí escribió *La joven de la flecha de oro,* publicada en la Habana en 1841. La obra, una tragedia de celos infundados, fue inferior a la anterior. Villaverde volvió a la Habana. Tomó parte en la redacción de *El Faro Industrial,* al que consagró todos sus trabajos literarios y novelescos que siguieron casi sin interrupción hasta mediados de 1848. De esa época datan *El guajiro,* 1842, novela costumbrista del campo, con un desenlace pasional trágico; *Dos amores,* una sencilla y bienaventurada historia sentimental en la capital; *El penitente,* 1844, citada con anterioridad; otra *Excursión a Vuelta Abajo,* 1842-43; y los cuentos y novelitas *Engañar con la verdad, Lola y su periquito, El ciego y su perro, La tejedora de sombreros de yarey, Comunidad de nombres y apellidos, Generosidad fraternal, El misionero del Caroní, La peineta calada,* novelita en la que figura el poeta Plácido, y *La cruz negra,* tragedia de amor, de género epistolar. Esta última salió en *La Cartera Cubana.*

Por actividades patrióticas, Villaverde fue hecho prisionero a fines de 1848. Seis meses después logró escapar con otros a los Estados Unidos. Tras nueve años de ausencia, volvió a la Habana, acogiéndose a una amnistía política. Emprendió la tarea de refundir su novela *Cecilia Valdés,* trazando un nuevo plan, pero pronto sintió la necesidad de abandonar la Isla de nuevo, por razones políticas. Las vicisitudes que siguieron a su expatriación voluntaria, la neceesidad de proveer para su familia en el extranjero y sus actividades patrióticas, no le permitieron seguir su proyectada obra hasta poco antes de 1879.

Como señala Villaverde en el prólogo de su obra, de ninguna manera puede considerarse los cuarenta años que distan entre el comienzo y el final de la novela como período de elaboración, pero es lógico que este lapso fuera muy significativo en su versión final. *Cecilia Valdés* fue una obra escrita con conciencia de propósito, en la plenitud vital y artística del autor. Lejos de adolecer de los defectos que temiera Villaverde por la entrecortada historia de su elaboración, la novela es un conjunto armonioso de sus elementos.

Cecilia Valdés es la historia de la niña vivaracha y linda del barrio del Angel, que pronto llega a ser llamada por su natural belleza La Virgencita de Cobre. Su abuela materna había sido esclava. Cecilia llama la atención de Leonardo Gamboa, un joven estudiante de la sociedad habanera. Se enamoran sin saber ni uno ni otro que tienen el mismo padre. Si la identidad de los amantes se revela paso a paso en la historia, la verdad corre siempre esquiva para ellos. Lo que hubiera sido un episodio en la vida del estudiante resulta una tragedia cuando por celos de Cecilia, ya madre, y por sus mal interpretados deseos, un admirador suyo del barrio, para vengarla, asesina al joven habanero el día de su boda.

Cecilia Valdés es la obra que cierra el período romántico de la novela cubana. Tipifica por excelencia la novela costumbrista del romanticismo. Nada más romántico que el dramatismo misterioso de su primera escena. Nada más melodramático que la tragedia de su escena final. La representación del cuadro social cubano en todos sus detalles pintorescos es obra del más consumado costumbrista. Sin embargo, en la esmerada acumulación de detalles en descripciones exentas de efectismo, se percibe la inclinación hacia el realismo, que por la misma fecha de la obra (1882) resulta bastante natural. Ejemplo de prosa costumbrista por

la selección pintoresca del sujeto es la descripción del negro "curro del Manglar" con el diálogo típico correspondiente:

> Me llaman Malanga. Asina me llaman en el Man-
> glal[26].

Ejemplo de prosa realista es la descripción de tres páginas largas del Prado, el paseo central de la Habana antigua (avenida principal que aún conserva su importancia).
El pasaje es demasiado extenso para poder citarse en su
totalidad, y haciéndolo en parte, la banalidad de los detalles prosaicos de un trozo no daría el efecto deseado ni haría justicia a Villaverde, pues el mérito de su estilo no está
en el arte de la palabra sino en el conjunto de la fotografía.
Villaverde hace su propio análisis crítico de la obra en
defensa de su estilo:

> Harto se me alcanza que los extraños, dígase, las
> personas que no conozcan de cerca las costumbres de
> la época de la historia de Cuba, que he querido pin-
> tar, tal vez crean que escogí los colores más oscuros
> y sobrecargué de sombras el cuadro por el mero pla-
> cer de causar efecto a la Rembrandt, o a la Gustavo
> Doré. Nada más distante de mi mente. Me precio de
> ser, antes que otra cosa, escritor realista, tomando
> esta palabra en el sentido artístico que se le da moder-
> namente[27].

En esto Villaverde no va más allá de defender la vera-
cidad de sus cuadros costumbristas, aunque es evidente que
siente la inevitable atracción al realismo ya corriente. Considerando la escuela en que se formó Villaverde, no hay
disparidad entre lo dicho y su siguiente afirmación:

> Hace más de treinta años que no leo novela nin-
> guna, siendo W. Scott y Manzoni los únicos modelos
> que he podido seguir al trazar los variados cuadros

[26] CIRILO VILLAVERDE: *Cecilia Valdés*, Nueva York, El Espejo,
1882, pág. 484.
[27] *Id.*, "Prólogo", *op. cit.*, pág. ix.

de *Cecilia Valdés*[28]. Reconozco que habría sido mejor para mi obra que yo hubiese escrito un idilio, un romance pastoral, siquiera un cuento por el estilo de *Pablo y Virginia* o de *Atala y Renato*; pero esto, aunque más entretenido y moral, no hubiera sido el retrato de ningún personaje viviente, ni la descripción de las costumbres y pasiones de un pueblo de carne y hueso, sometido a especiales leyes políticas y civiles, imbuido en cierto orden de ideas y rodeado de influencias reales y positivas. Lejos de inventar o de fingir caracteres y escenas fantasiosas, e inverosímiles, he llevado el realismo, según lo entiendo, hasta el punto de presentar los principales personajes de la novela con todos sus pelos y señales, como vulgarmente se dice, vestidos con el traje que llevaron en vida, la mayor parte bajo su nombre y apellidos verdaderos, hablando el mismo lenguaje que usaron en las escenas históricas en que figuraron, copiando en lo que cabía, *d'après nature*, su fisonomía física y moral, a fin de que aquellos que los conocieron de vista o por tradición, los reconozcan sin dificultad y digan cuando menos: —el parecido es innegable[29].

Por estas últimas palabras del prólogo, escritas en 1879, se ve la insistencia de la tendencia realista tratando de convivir con el pasado romántico que lleva el autor, hecho que se realiza armoniosamente a través del costumbrismo. Villaverde asistió a las tertulias de Domingo Delmonte durante el período formativo de la novela romántica cubana, recibió las mismas influencias literarias que los demás jóvenes, y lo que más importa, se formó en una generación de costumbristas, que debiendo su inspiración directa al costum-

---

[28] En su novela *El guajiro*, de 1842, Villaverde menciona al novelista americano James Fenimore Cooper; según datos bibliográficos, en 1857, cuando volvía de su expatriación, se publicó en la Habana una traducción suya de *David Copperfield*, de Charles Dickens; y en 1878, estando para redactar la versión final de su novela, se publicó en Nueva York su traducción al castellano de *María Antonieta y su hijo*, de la novelista alemana Klara Mundt (Louise Mühlbach).

[29] VILLAVERDE: "Prólogo", *op. cit.*, pág. x.

brismo español, imprimieron un sello criollo y permanente en la novela cubana.

Cecilia Valdés es, en efecto, una minuciosa reconstrucción social de una época, vista y sentida. Aunque es muy concebible que la obra exaltara en sus días el ideal nacionalista, el espíritu dominante de la novela es la reproducción inexorable, pero artísticamente acertada, de la vida colonial en Cuba hacia 1830. El círculo de Leonardo Gamboa y de Cecilia Valdés forman la unidad del panorama social. Allí entra el cuadro de la sociedad habanera con todas sus actividades, bailes, paseos, y la réplica pintoresca de todo ello en el mundo de Cecilia Valdés. Surge, además, el cuadro doloroso de la esclavitud. De escenario están las descripciones propiamente realistas de la Habana antigua y del campo de Vuelta Abajo, con sus ingenios y plantaciones.

El mismo año de 1882 en que Villaverde publicaba en Nueva York su *Cecilia Valdés*, NICOLÁS HEREDIA (1849-1901) era premiado en Matanzas a la vez por su novela *Un hombre de negocios* y su ensayo "El naturalismo en el arte". La influencia de Villaverde se percibió un tanto en novelistas posteriores. La primera novela de RAMÓN MEZA Y SUÁREZ (1861-1911), *Carmela* (1886) muestra alguna reminiscencia de *Cecilia Valdés* en el tema, aunque está escrita dentro de un estilo realista, como lo están sus demás novelas. En conclusión, se puede decir que con la figura dominante de Cirilo Villaverde se inicia y se cierra el período romántico de la novela en Cuba.

II

PUERTO RICO

Las primeras manifestaciones del género novelesco en Puerto Rico fueron los ensayos que aparecieron en la colección *Aguinaldo puertorriqueño* en 1843. Mayor significación que las novelitas tuvo la recopilación en sí, obra de un grupo de jóvenes criollos y peninsulares, que se reunió con intención de componer y publicar un libro enteramente indígena. Las novelitas que aparecieron en el tomo fueron: *Muerta por amor,* de Mateo Cavalhon; *La infanticida,* de Juan Manuel Echeverría (*Hernando*); *Pedro Duchateau,* de Martín J. Travieso; y *El astrólogo y la judía. Leyenda de la Edad Media,* de Eduardo González Pedro (*Mariano Kohlmann*). Los estudiantes puertorriqueños en Barcelona respondieron con un *Album puertorriqueño,* 1844, y un *Cancionero de Borinquen,* 1846[30]. En esta última colección aparece otra pequeña novelita, *Amor y generosidad,* de Francisco Vassallo y Cabrera[31]. El género novelesco sigue en su período de formación con una novelita indianista de Alejandro Tapia y Rivera, *La palma del cacique,* Madrid, 1852. Luego, un relato sentimental y simbólico, *La virgen de Borinquen,* París, 1859, escrito en francés, por el patriota Ramón Emeterio Betances (1827-1898). Al año siguiente, *El heliotropo,* diminuta novelita sentimental, de Alejandro Tapia, escrita en 1848 y publicada en el *Almanaque Aguinaldo* en 1860.

De todos los escritores mencionados, sólo ALEJANDRO TAPIA Y RIVERA (1826-1882) surgió como novelista, siendo así el iniciador de la novela en Puerto Rico. Al mismo tiempo se distinguió en el género EUGENIO MARÍA DE HOSTOS (1839-1903) con *La peregrinación de Bayoán,* única novela del eminente pensador, político y educador. Son estos dos

---

[30] ALEJANDRO TAPIA Y RIVERA: "Introducción", *El bardo de Guamaní. Ensayos literarios,* La Habana, El Tiempo, 1862, pág. 8.
[31] CARMEN GÓMEZ TEJERA: *La novela en Puerto Rico,* San Juan, Universidad de Puerto Rico, 1947, págs. 32-33.

escritores los representantes de la novela romántica en Puerto Rico.

La novela tuvo un desarrollo tardío en Puerto Rico. El género no había tenido ocasión de formarse dentro del desarrollo intelectual de la Isla y la estricta censura colonial afectaba la producción literaria del país. Cuenta Tapia en sus memorias que su drama romántico *Roberto D'Evreux* (1848) fue suprimido por humanizar a los soberanos, exponiendo los sentimientos íntimos de una reina[32]. Cuando Tapia quiso publicar en 1853 su *Biblioteca histórica de Puerto Rico,* un compendio de lo que los historiadores habían dicho con referencia de la Isla, fue censurado por el contenido de una elegía de Juan de Castellanos[33]. Hacia 1855 Tapia intentó fundar un Ateneo, pero se le presentaron tales inconvenientes, que decidió abandonar el proyecto, y éste no se realizó hasta veinte años más tarde[34]. Desde luego, ninguna expresión política podía entrar en una obra. La novela de Eugenio María de Hostos, publicada en España en 1863, fue prohibida enseguida en la Isla. Dentro del aspecto cívico, el tema de la esclavitud era vitando. Dice Tapia en sus memorias:

> Los mismos que querían o hubiesen querido defender al siervo contra los intereses solidarios de una sociedad entera, lo hacían con cierto temor nacido de su aislamiento y tratando de no insistir demasiado para evitarse la malquerencia y hasta el castigo inherente a lo que se llamaba al punto *abolicionismo,* sinónimo de separatismo[35].

El criollismo encontró salida en la prosa de la naciente literatura puertorriqueña en los artículos de costumbres. Ya en 1849 Manuel Antonio Alonso (1822-1889), poeta criollis-

[32] ALEJANDRO TAPIA: *Mis memorias, o Puerto Rico como lo encontré y como lo dejo,* Nueva York, De Laisne & Rossboro (1928), pág. 125.
[33] *Ibid.,* pág. 88.
[34] *Ibid.,* pág. 90.
[35] *Ibid.,* pág. 83.

ta a imitación de Domingo Delmonte en Cuba[36], publica en Barcelona un tomo de ensayos costumbristas titulado *El jíbaro*. Sin embargo, el género costumbrista no se incorporó a la novela romántica. Ni siquiera fue, en consideración a las restricciones coloniales, vía inofensiva de expresión nacionalista como en la novela cubana.

Alejandro Tapia llamó a sus primeras producciones novelescas, leyendas. *La palma del cacique. Leyenda histórica de Puerto Rico*, 1852, es una típica novelita indianista, escrita en tono poético, dentro de un cuadro idealista, con uso de vocablos indígenas. Es la historia sentimental de Loarina, enamorada de don Cristóbal de Sotomayor y querida en vano por el cacique Guarionex. En una sublevación de indios, muere el caballero español. Guarionex, rechazado aún por Loarina, se despide para siempre de su tierra, recitando versos, en una noche de tormenta. Loarina decide acompañar al cacique a la sepultura, cumpliendo (a falta de esposa) la tradición indígena. En el lugar del sepulcro creció la palma legendaria. Tapia escribió la novelita en Madrid, a raíz de conocer al literato Domingo Delmonte, quien lo alentó en sus esfuerzos literarios[37]. La obra quedó incluida en la colección que Tapia publicó en la Habana de sus obras, *El bardo de Guamaní*, 1862.

En la misma colección apareció *La antigua sirena. Leyenda veneciana*. La obra, de entretenida lectura, resulta ser una novela alegórica de análisis político sobre la Venecia del siglo XIV. La alegoría queda reducida, al final, a una tabla razonada de los personajes que representaron la ficción novelesca, con sus correspondientes figuras simbólicas. La antigua sirena, la bellísima y ambiciosa florista que logra entrar en la aristocracia, perdiendo luego su influencia, es Venecia. En la alegoría queda comprendida la crítica política:

> Por su astucia y su mañoso ingenio mantuvo el
> poder, pero abusando de él con intrigas y despotismo,

---

[36] PEDRO HENRÍQUEZ UREÑA: *Las corrientes literarias en Hispanoamérica*, México, Fondo de Cultura Económica, 1949, pág. 253.
[37] TAPIA: "Introducción", *El bardo de Guamaní*, pág. 10.

murió dejando un recuerdo de su belleza, de poder,
de delitos[38].

Después de diez años, Alejandro Tapia publicó en Madrid en 1872, una obra novelesca excéntrica y de tono festivo, muy lejos de toda convencionalidad romántica: *Pos-
tumo el transmigrado. Historia de un hombre que resucitó
en el cuerpo de su enemigo.* Es un absurdo llevado a la más
jocosa realidad artística. Su maquinación es la fantasía .Su
fundamento, la noción de la transmigración de almas. El resultado, una burla del espiritismo. En la sátira surgen pasajes de crítica social y política a la manera de los costumbristas peninsulares. Lo que vale en el desarrollo del relato
es la ingeniosa humorada del autor. Marcelino Menéndez
y Pelayo relaciona la obra con el *Avatar* (1857), de Teóphi-
le Gautier[39].

En un tono entre nostálgico y sonriente, escribió Tapia
La Leyenda de los veinte años, 1874. Es una novela corta,
Teniendo presente las memorias de Tapia, se traslucen las
propias remiscencias juveniles del autor fantaseadas en el
hilo de la ficción. Describe con la mayor seriedad posible
las difíciles situaciones de un adolescente. Eduardo, buen
conocedor de novelas románticas, se bate en un duelo de
honor con el esposo de una joven afligida que apenas conoce, por querer descubrir una intriga pasional. Al mismo
tiempo se muestra muy receloso de un capitán que pasa
de vez en cuando por casa de su novia. Sus padres deciden
enviarlo a España. Allí, en vez de estudiar, se dedica a ser
hombre de mundo. Hastiado, se va a Italia, pelea con Ga-
ribaldi y regresa cojo. Ya es otro Byron. De nuevo en su patria, visita a su antigua novia y se encuentra con que es
esposa del temido capitán (ahora comandante) y madre,
además, de tres hijos. Eduardo mira a su alrededor con la
nostalgia de alguien que recuerda el tiempo grato de su
juventud. Es la mejor obra en el género novelesco de Tapia

---

[38] Id., *La antigua sirena, op. cit.,* pág. 301.
[39] MARCELINO MENÉNDEZ Y PELAYO: *Historia de la poesía hispanoamericana,* Santander, Aldus, 1948, I vol., pág. 339.

por el acierto y la simpatía con que esboza los sentimientos y desatinos propios de la adolescencia.

En su siguiente novela Tapia volvió a escribir dentro del ambiente de su patria. Elabora una ficción sobre un personaje de hecho histórico, Roberto Cofresí, pirata que fue capturado en 1825, a los veintiséis años, y fusilado con otros diez compañeros. La novela tiene una historia incidental de amor entre uno de los compañeros del pirata y una muchacha del pueblo codiciada por otro de los marinos. Cofresí aparece como figura romántica:

> Se traslucía en su conducta la influencia de una imaginación romanesca y visionaria. De ésta eran hijos sus delitos, más bien que de la perversidad del corazón[40].

Cofresí se publicó en 1876. Tiene pasajes descriptivos y dramáticos acertados en los encuentros y maniobras en alta mar de la goleta pirata al frente de las costas de la Isla. El tema del pirata y las escenas de mar formaban parte de .a tradición romántica. En la figura contemporánea de Cofresí, la realidad estaba a la altura de la imaginación. No escasearon luego obras escritas bajo la inspiración más o menos directa de Tapia sobre Cofresí o el tema de piratas y filibusteros.

La *Miscelánea* de prosa y verso que Alejandro Tapia publicó en 1880 contiene dos novelitas, *A orillas del Rhin* y *Enardo y Rosael, o El amor a través de los siglos.* En la primera, regresa el autor a su estilo primitivo en un breve relato melancólico, con desmedro de su capacidad creadora. El amante vuelve sólo para ver morir a su novia. Aquí, como en la segunda novelita mencionada, se reanuda el tema de la transmigración de almas. *Enardo y Rosael* es una fantasía de un angel que ha visto a Enardo, discípulo de Sócrates, dormido en el bosque, y pide dejar el cielo por el amor terrestre. Se le concede el permiso con la condición de no poder regresar hasta que el amor sea digno del cielo.

[40] TAPIA: *Cofresí*, San Juan, Imprenta Venezuela, 1943, página 257.

Los amantes se ven primero en Grecia, luego en la Edad Media y por último, en la moderna. A cada paso se interpone la celosa Venus. En sus memorias Tapia habla del "escaso pero hechicero helenismo" con que se había nutrido en su adolescencia[41]. *Enardo y Rosael* tiene un helenismo parnasiano de sensualismo poético, de impresiones, de simbolismo, que preludia la prosa artística del modernismo.

Recordando Tapia la buena acogida que había recibido *Póstumo,* decidió escribir una segunda fantasía diez años más tarde (1882). El tema fue *Póstumo envirginiado, o Historia de un hombre que se coló en el cuerpo de una mujer,* es decir, Virginia. El protagonista resulta, según el autor, una "anomalía postémico-virginiana". La mirada cejijunta del ángel custodio de Póstumo se reconcentra. Póstumo, el espíritu, responde dedicándose a abogar por los derechos femeninos, de modo que Virginia muere batiéndose en una barricada por la emancipación de la mujer.

Alejandro Tapia abarca en casi cuatro décadas todo el período romántico. En la última década pasa al estilo realista en la primera fantasía de *Póstumo* (1872) y a lo que podría llamarse naturalismo humorístico en su segunda parte (1882). Vuelve al romanticismo inicial en otras obras y en una ocasión preludia la prosa modernista (1880). Datos que ponen en evidencia el anticipado y variado desarrollo estilístico de Alejandro Tapia.

En la historia de la novela en Puerto Rico, se le concede a FRANCISCO DEL VALLE ATILES (1847-1917) el puesto cronológico de primer novelista realista por su obra *Inocencia,* 1884, seguido de SALVADOR BRAU (1842-1912) con *La pecadora,* 1887[42]. La novela naturalista surge en la última década del siglo con MATÍAS ZENO GANDÍA (1855-1930).

Aunque Alejandro Tapia es el iniciador de la novela puertorriqueña, EUGENIO MARÍA DE HOSTOS le precede con su novela en interés nacionalista y aun en la representación cabal del género. La forma de la novela en Puerto Rico es elusiva en el período romántico. Sólo dos de las obras de

[41] *Id., Memorias,* pág. 137.
[42] GÓMEZ TEJERA: *op. cit.,* pág. 68.

Alejandro Tapia, *La leyenda de los veinte años*, 1874, y *Cofresí*, 1876, son en realidad novelas. Estas dos y su novelita indianista *La palma del cacique*, 1852, son de inspiración nativa. La novela de Hostos data de 1863. Sólo él había de abordar el tema nacionalista, aunque fuera de la patria.

En la escasa novelística romántica puertorriqueña, hay una evasión o escapismo, ya en la forma o en el contenido del género novelesco, que sirve en muchas ocasiones de subterfugio político. Tal ocurre en las contadas páginas de *La virgen de Borinquen*, publicada en París, 1859, cuya alegoría revela una velada protesta colonial[43]; en la alegoría crítico-política *La antigua sirena*, publicada en la Habana, 1862, perdida en el tomo *El bardo de Guamaní. Ensayos literarios*; en *Póstumo el transmigrado*, con sus comentarios político-sociales, Madrid, 1872; en *La peregrinación de Bayoán*, Madrid, 1863 (y Santiago de Chile, 1869), explícita reclamación de los derechos civiles. Parte de este escapismo ocurre en las obras de Francisco Mariano Quiñones (1839-1908), que él llamó "novelas persas":

Tienen mucho de fantásticas y en ellas se concede mucha importancia a la fábula para ser llamadas novelas en la alta significación del género[44].

Se publicaron en Bruselas: *Magofonía*, 1875, y *Nadir Shah*, de la cual se conocen dos de las tres partes que prometía, *Kalila*, 1875, y *Fátima*, 1876. En *Kalila* se desarrollan "estudios interesantes de la historia de Persia"[45].

La peregrinación de Bayoán, de Eugenio María de Hostos, es a la vez un diario sentimental y un ideario político. Bayoán es un joven idealista como su creador, y romántico como los héroes que le sirvieron de modelo, Werther y Jacopo Ortiz[46]. Sólo que Bayoán se juró el conocimiento de sí mismo, y sus actos, según su creador, partían de su con-

[43] Manuel María Sama: *Bibliografía puertorriqueña*, Mayagüez, P. R. Tipografía Comercial Marina, 1887, pág. 47.
[44] Samuel R. Quiñones: *Temas y Letras*, San Juan, Biblioteca de Autores Puertorriqueños, 1942, pág. 15.
[45] Sama, *op. cit.*, pág. 59.
[46] Cf. Eugenio María de Hostos: "Prólogo", *La peregrinación de Bayoán*, Habana, Cultural, 1939, pág. vii.

ciencia, donde reinaba la razón. Pero héroe romántico, al fin, la lucha entre el corazón y la conciencia fue su agonía. Al principio, vaciló entre seguir el curso común de la vida, atendiendo sólo a los deseos inmediatos, o dedicarse a un fin difícil, pero más noble. Bayoán sondeó su conciencia, sintió la patria, y emprendió una cruzada idealista:

Quiero gloria, y por ella abandono hoy mi patria, mañana mi felicidad, un día la vida. Quiero que digan: "En esa isla nació un hombre, que amó la verdad, que anhelaba la justicia, que buscaba la ventura de los hombres"[47].

Vagó por las Antillas. Siguió los pasos de Colón, y apostrofó la tierra que aquél tocara:

Tú eres el mismo río que regaba la apacible comarca que dio hospitalidad al peregrino: si yo pudiera detenerme, Jatibonico, escogería tu orilla, y a la sombra del palmar que veo de aquí, haría un bohío: una hamaca, pendiente de un mango y de una ceiba; tu soledad y tu silencio me darían sosiego: pensaría en tus antiguos moradores, y al echarlos de menos, lloraría: mezclando mi llanto con mi paz, daría a los días de mi vida el encanto que no tienen[48].

Siguió su nebulosa peregrinación y en otra parte de Cuba conoció a Marién, hija de Guarionex. Al verla sintió:

¡Es luminosa!... Sus ojos azules ¿no tienen la misma suave luz del cielo al despuntar la aurora? ¿No tienen sus descuidados rizos la misma luz que el primer rayo del sol?[49].

Entonces se recrudeció para Bayoán su agonía, pero se concretó por contraste su ideal. Amaba a Marién, pero para hacerse digno de ella, tenía que cumplir primero con su ideal, que era el deber de la patria. Con dolor se despide de Marién. Su conciencia le hace reanudar su peregrinación. Ahora iría a España.

[47] Id., op. cit., pág. 49.
[48] Ibid., pág. 60.
[49] Ibid., pág. 72.

Marién sintió la primera zozobra en su espíritu y la primera angustia de su mal. Para que se repusiera, sus padres pensaron ir a España también. Haciendo escala en Puerto Rico, se encuentran de nuevo la joven y el patriota. El idilio se formaliza. El lirismo de Bayoán culmina en su diario. Recuerda el balcón de la casa de campo que habían tomado los padres de Marién y lo describe emocionalmente:

> Bendito sea el balcón...! bendito sea, porque debajo de él desciende la colina, y al encontrarse en su caída con su arroyo, hacen entrambos prodigios de sombras y de luz, de color, de claroscuro, paisajes misteriosos, recintos escondidos, albergues de amor que la ceiba hacía grandiosos, fantásticas cascadas, fantásticos murmullos, rumores que incitaban a soñar...!
>
> Bendito sea el balcón, bendito sea, porque al mediar esta noche que ahora acaba, y cuando iba a despedirme de Marién, desde él vimos los dos tantos ángeles blancos, sentados a la sombra de la ceiba, tantas formas fugaces levantando y tendiendo la gasa que ocultaba el arroyo, tanta línea graciosa alrededor de las copas de las palmas, tanto azul en el cielo, tanta luz en la luna, tanto amor en nosotros...!
>
> Bendito sea el balcón, bendito sea, porque en él nos paseábamos los dos, cogidos por la mano, soñando con el día en que seamos nuestros, y formando castillos en el aire, que el aire sostenía y la luz de la luna iluminaba...!
>
> Bendito sea el balcón, bendito sea, porque en él vi desaparecer la sombra de tristeza que en la frente de Marién había agrupado la visión del sueño, y porque en él se reunió con el aura silenciosa el beso sin rumor que dí a su mano[50].

En la travesía, Bayoán tiene ocasión de expresar sus ideales políticos a un triste pasajero enfermo, patriota que había sufrido. La larga travesía agrava el mal de Marién. En

[50] *Ibid.*, pág. 162.

España, Bayoán decide sofocar su ideal por el bien de Marién. Se casa con ella con la esperanza de hacerla feliz y
contrarrestar el desencadenamiento de su enfermedad, pero
Marién muere. Bayoán se despide de su confidente, de Hostos, con estas palabras:

> ...yo no puedo vivir como hasta ahora: necesito
> otra vida; movimiento, actividad, olvido... América
> es mi patria; está sufriendo, y tal vez su dolor calme
> los míos... Si puedo encontrar allí lo que en vano he
> buscado en Europa; si en una de esas repúblicas hay
> un lugar para un hombre que ama el bien, después de
> recorrerlas todas, después de estudiar sus necesidades
> presentes, y evocar su porvenir, me fijaré en la que
> más reposo me prometa... Si en ninguna lo encuentro,
> seguiré peregrinando...[51].

Este es el romance de Bayoán, tal como se revela en su
diario. Ahí está la afirmación de su conciencia patriótica,
la parte viva de la ficción, que en el siglo pasado debió haber sobrellevado la forma artística que hoy día queda de la
obra. Al publicarse primero en España en 1863, dijo un crítico anónimo que la obra era la aparición de la conciencia
en el siglo XIX. Anónimo, porque nadie se atrevió a reconocer públicamente una obra que contenía pasajes de tan rec-
to ataque liberal, aunque privadamente hubo quien, como
Pedro Antonio de Alarcón, tomara nota de ella[52]. En la exposición de los derechos del hombre, Bayoán apostrofa a la
madre patria, clamando por los derechos civiles de los antillanos. De Hostos abogaba por las Antillas mayores como
por sus hermanos. Bayoán en la novela se identifica con
Puerto Rico; Marién, con Cuba, y Guarionex, con Santo
Domingo[53]. La prohibición de la novela en Puerto Rico, le-

---

[51] *Ibid.*, pág. 320.
[52] Cf. DE HOSTOS: "Prólogo", *op. cit.*, págs. 25-31.
[53] Santo Domingo por aquel tiempo pasaba por el período de
la anexión a España, de 1861 a 1865, que interrumpió el curso de
la república establecida en 1844. En 1865 partieron las últimas
tropas españolas, triunfando definitivamente el gobierno restaurador.

jos de evitar su lectura, sirvió para hacerla más buscada[54]. En la peregrinación del autor por las Américas, la novela se publicó en Chile en 1869 con una nota de Eugenio María de Hostos advirtiendo que ya no abogaba por la autonomía de su patria sino por la independencia.

Dentro del legado artístico de *La peregrinación de Bayoán*, si el espíritu agonizante del héroe le da a la obra un tono excesivamente melancólico, el lirismo de la prosa la eleva al nivel de los clásicos románticos hispanoamericanos.

[54] DE HOSTOS: *loc. cit.*

III

SANTO DOMINGO

Los iniciadores de la novela dominicana fueron los hermanos Alejandro y Javier Angulo Guridi, hijos de una de las familias que emigraron a Cuba en 1822. Sufría la región dominicana una segunda invasión haitiana que impuso la tiranía hasta 1844. ALEJANDRO ANGULO GURIDI (1822-1906) nació en Puerto Rico. Publicó en Cuba, en 1843, una novelita indianista, *Los amores de los indios*. Versa sobre el mismo tema que la del cubano Ramón de Palma, *Matanzas y Yunurí* y la supera en el estilo[55]. Años más tarde, en 1853, Alejandro Angulo Guridi dio a *El Progreso* de Santo Domingo la novelita *Cecilia*[56]. Del mismo género fueron *La joven Carmela* y otras narraciones que escribió en la Habana, en colaboración con el poeta Francisco Javier Blanchié (1822-1847)[57]. De regreso en su patria, la vida de Alejandro Angulo Guridi quedó absorbida por el profesorado y la política, ocupando la cátedra de Derecho y de Humanidades y pasando a ser Ministro de Estado en 1878. Después emigró del país. Estuvo en Venezuela, Chile, Costa Rica y en Nicaragua, en donde murió. Se le recuerda hoy por sus dos tomos de *Temas políticos* (Chile, 1891), y por sus trabajos filológicos.

JAVIER ANGULO GURIDI (1816-1884), residiendo de nuevo en Santo Domingo, sirvió al gobierno restaurador. Fue coronel del ejército y ocupó el cargo de senador. En 1866 dio a conocer en un tomito una novelita, *Silvio,* y dos tradiciones dominicanas, *La campana del higo,* cuyos toques confirman la identidad de un criminal, y *La ciguapa,* pequeño ser legendario cuya presencia era fatal para los enamorados. En *Silvio,* un expatriado hispanoamericano consuela a un

[55] ELIGIO DE LA PUENTE: "Introducción", *Obras* de Ramón de Palma, Habana, Cultural, 1828, pág. xix.
[56] MAX HENRÍQUEZ UREÑA: *Panorama histórico de la literatura dominicana,* Río de Janeiro, Artes Gráficas, 1945, pág. 227.
[57] JOAQUÍN BALAGUER: *Letras dominicanas,* Santiago, R. D., El Diario, 1944, pág. 56.

emigrado dominicano en la isla de San Tomás con la historia sentimental de su irrevocable destierro a causa de un duelo con un amigo suyo.

En los periódicos de Santo Domingo aparecieron algunas novelitas y tradiciones más del autor, como *El fantasma del Higüey*, 1868, *La imprudencia de un marido*, 1869, *El panorama*, 1872, y su segunda parte, *Paulino*, 1873[58]. Javier Angulo Guridi escribió también tres comedias y dos dramas, uno de ellos *Iguaniona*, drama histórico nacional, en verso, 1867. Fue además autor de artículos de costumbres y de una *Geografía de la isla de Santo Domingo*, en la cual recogió ciertas leyendas, gracias a él muy populares[59].

FRANCISCO JAVIER AMIANA (1849-1914), prefecto y maestro, escribió una novela moral corta llamada *Adela, o El ángel del consuelo*, 1872. Ajena a todo interés nacional, sus personajes son ingleses y la acción pasa en Roma[60].

El poeta JOSÉ JOAQUÍN PÉREZ Y MATOS (1845-1900) cuenta entre sus conocidas *Fantasías indígenas* (1876-77) una que escribió en prosa, de menos valor, llamada *Flor de palma, o La fugitiva de Borinquen*. La heroína es Anaibelca, hija de Bayoán, cacique de la Antilla vecina[61].

La primera novela dominicana plenamente desarrollada no aparece hasta 1882, cuando MANUEL DE JESÚS GALVÁN (1834-1911) publica *Enriquillo, leyenda histórica dominicana*. Esta obra y la posterior de FRANCISCO GREGORIO BILLINI (1844-1898), *Baní, o Engracia y Antoñita*, 1892, son las dos únicas de importancia antes de entrar en el período de la novela realista y naturalista. La laguna la llenan las obras de los escritores que Santo Domingo dio a las Antillas vecinas. En Cuba se destacaron ESTEBAN PICHARDO Y TAPIA (1799-1879) y NICOLÁS HEREDIA (1849-1901). La familia de Pichardo emigró a Cuba en el éxodo que produjo la primera

[58] MAX HENRÍQUEZ UREÑA: *loc. cit.*
[59] ABIGAÍL MEJÍA: *Historia de la literatura dominicana*, Santiago, R. D., El Diario, 1943, pág. 58.
[60] *Ibid.*, pág. 152.
[61] CONCHA MELÉNDEZ: *La novela indianista en Hispanoamérica*, Madrid, Hernando, 1934, pág. 111.

invasión haitiana al iniciarse el siglo[62]. Esteban Pichardo se distinguió en Cuba como lexicófrago y geógrafo. Se ha citado ya *El fatalista* (1866) dentro de la serie de novelas costumbristas que integran la novelística romántica en Cuba. Nicolás Heredia se educó en la ciudad de Matanzas, Cuba. Representa para la novela cubana la transición decisiva al realismo. La primera de sus dos novelas, *Un hombre de negocios,* fue premiada en los Juegos Florales de Matanzas en 1882 y publicada al año siguiente. En los mismos certámenes quedó premiada su memoria "El naturalismo en el arte", cuyo tema se refleja en la confección de su obra maestra *Leonela,* 1893.

En Puerto Rico, en el período en que se iniciaba ya la novela realista, el dominicano Francisco Carlos Ortea publicó *La enlutada del tranvía, El tesoro de Cofresí,* 1889, *Una novela al vapor, María* y *Madame Belliard* (*Episodios de un viaje a los Estados Unidos*)[63]. La mejor fue *Margarita,* hija de la *María* de Jorge Isaacs. Según Max Henríquez Ureña, "la novela sentimental de Ortea es superior a otras varias que en América fueron el fruto de esa epidemia de imitaciones poco afortunadas, pues tiene emoción e interés dramático y es lástima que el autor, periodista ante todo, no brillara por la distinción y elegancia de estilo"[64]. En *El tesoro de Cofresí,* de carácter romántico, Ortea aprovechó, como otros, el tema que Alejandro Tapia y Rivera usó primero en *Cofresí.* En torno a la vida del pirata, Ortea elaboró una ficción amorosa entre dos personajes, quienes tras activa búsqueda, encuentran el tesoro de Cofresí[65].

El *Enriquillo,* única obra del publicista dominicano Manuel de Jesús Galván, es una novela histórica que, por la sensibilidad con que el autor presenta al héroe y por su

---

[62]   Para esa época emigró también la familia del literato Domingo Delmonte y Aponte, yendo a Venezuela antes de pasar definitivamente a Cuba. Igualmente emigraron los padres del poeta cubano José María Heredia, quienes se establecieron en Santiago de Cuba.

[63]   Carmen Gómez Tejera: *La novela en Puerto Rico,* San Juan, Universidad de Puerto Rico, 1947, pág. 114.

[64]   Max Henríquez Ureña: *op. cit.,* pág. 230.

[65]   Gómez Tejera: *op. cit.,* pág. 97.

afiliación a un género muy favorecido del romanticismo, puede considerarse como romántica. No así por su estilo. La prosa del *Enriquillo,* salvo por una modulación natural contemporánea, podría contarse entre la prosa castiza de los escritores del Siglo de Oro. El estilo pudo haber sido efecto de la influencia directa en el autor de las fuentes históricas con que trabajó, o posiblemente deseaba Galván crear una atmósfera más auténtica, pues a lo largo de la obra anota y hasta justifica con esmero el uso de vocablos arcaizantes. Apenas se siente la transición de estilo en los pasajes intercalados del padre de las Casas.

La novela está apoyada en la *Historia de las Indias* del padre de las Casas, las *Décadas,* de Herrera, las *Elegías,* de Castellanos, la *Vida de Colón,* de Washington Irving, la *Vida de fray Bartolomé de las Casas,* de Manuel José Quintana, los cronistas de la época, como Fernández de Oviedo, y documentos inéditos del Archivo de Indias. La obra de Galván representa la más esmerada reconstrucción —hasta en las transcripciones de diálogos— que pudiera alcanzar una novela histórica. De allí que parezca natural la técnica difícil de crear una novela histórica en que los protagonistas principales sean personajes históricos y la ficción sólo el elemento de unión entre los acontecimientos. Técnica que se aleja del romanticismo y se aproxima a la tendencia contemporánea de la biografía novelada. Sólo el realce idealista que presta el autor a Enriquillo, al caudillo Guaroa y a la reina Anacaona recuerda a la novela indianista propia del romanticismo. Aún así, el efecto no es de tanto contraste para Enriquillo, puesto que los mismos historiadores señalan las extraordinarias dotes del cacique de Bahoruco, y su calculado plan de rebelde independencia queda como epopeya en la historia de las Indias.

La actitud imparcial del autor al tratar el tema histórico libra la novela de la artificialidad indianista que tiende a sublimar la raza indígena frente a los españoles. La crueldad hacia los indios queda condenada por un elemento de los mismos españoles de la época, pugnando por contrarrestar los excesos provocados por la ambición de la conquista y del oro. Vemos desarrollarse, a la vez, el drama de las eternas rivalidades políticas y los esfuerzos para llegar a la justicia del rey. La lucha que sostiene Diego Colón para afirmar sus derechos, las afrentas que recibe una y otra vez de los codiciosos oficiales; y por otra parte, la campaña que inicia el padre Montesinos con su memorable sermón, así como la cruzada que sigue las Casas en favor de los indios, caracterizan ese ambiente vital de la época en que pugnan buenos y malos elementos dentro del empuje total del coloniaje.

Al comentar el alzamiento de Enriquillo, Galván predice con simpatía para las colonias vecinas que la epopeya de Bahoruco era el preludio de todas las reacciones que en menos de cuatro siglos habían de aniquilar en el Nuevo Mundo el derecho de la conquista. Cuando España reconoce a Enriquillo, Galván hace observar al más rebelde de los tenientes del cacique que los mejores soldados españoles eran humanos y benévolos, y que los potentados cristianos verdaderamente grandes eran verdaderamente buenos.

Aunque Enriquillo domina el panorama de la novela, no resalta como héroe desde el principio. La obra se divide en tres partes. En la primera conocemos al niño Guaracuya, Enriquillo, y a su prima, la niña Mencía, hija de la princesa Higuemota y de Hernando de Guevara; pero el interés de la narración se encauza en las nupcias de Diego Colón y María de Toledo y la llegada de éstos a la Isla. En la segunda parte, aparece la huérfana Mencía de doncella en la residencia de los virreyes, Diego Colón y María de Toledo. Enriquillo ha sido adoptado por Diego Velázquez y se educa en el convento de San Francisco, donde se encuentra el licenciado Bartolomé de las Casas. Al paso de la política de la época, se desarrolla la desgraciada historia de amor entre María de Cuéllar y Juan de Grijalva, que termina con las bodas de la joven y Diego Velázquez. En la tercera parte se presenta la historia de Enriquillo.

Se cumplen los deseos de Higuemota y se realiza el enlace de Enriquillo y Mencía, no sin desagradables contratiempos provocados por Andrés de Valenzuela, hijo del administrador de los bienes de Mencía. Lo dirige en sus planes Pedro Mojica, tío lejano de la joven y elemento maléfico en todo el curso de la novela. Sin el amparo del eclipsado poder de los virreyes, y ausente el padre las Casas, Enriquillo se ve reducido a ser encomendado de Andrés de Valenzuela. Los indios, antes regidos por la mano benevolente del padre de Andrés, ahora sufren la suerte de todos los demás de la isla. El alevoso intento de Andrés de apoderarse de Mencía decide a Enriquillo a rebelarse, pero se desespera al pensar en la suerte que correría su esposa. Ella, al contrario, se muestra deseosa de verlo libre y está dispuesta a seguirlo a las montañas. En poco tiempo queda realizado el éxodo a la sierra:

> La previsión del caudillo, servida eficazmente por la docilidad y el trabajo de los indios, hizo convertir muy pronto el interior de la extensa y variada sierra en una sucesión casi continua de labranzas, huertas, caseríos y fortificaciones que la mano del hombre, completando la obra de la naturaleza, había hecho punto menos que inexpugnables. Allí no había ni brazos ociosos, ni recargo de faenas, todo se hacía ordenada y mesuradamente: había tiempo para el trabajo, para el recreo, para los ejercicios belicosos, para la oración y el descanso. El canto acordado del ruiseñor saludando la radiante aurora; el graznido sonoro del cao, repercutido por los ecos de la montaña; el quejumbroso reclamo de la tórtola en los días nublados; la aparición del cocuyo luminoso, el concierto monótono del grillo nocturno y los demás insectos herbícolas, eran otras tantas señales convenidas para determinar el cambio de ocupaciones entre los moradores de aquellas agrestes alturas. La civilización europea, que había arrebatado aquellos infelices de su natural inocencia, los devolvía a las selvas con nociones que los hacían aptos para la libertad, por el trabajo y la industria[66].

[66] MANUEL DE JESÚS GALVÁN: *Enriquillo*, Santo Domingo, García Hnos., 1882, pág. 312.

Ninguna de las fuerzas españolas enviadas contra el cacique de Bahoruco pudo penetrar más allá de los pasos bien defendidos por los indios desde las alturas. La figura de Enriquillo adquirió con la prueba del tiempo, las proporciones de un héroe de las epopeyas medievales, y así lo pinta el autor:

> Hernando de San Miguel reparó en el cacique, desde la cumbre a que trabajosamente acababa de ascender, y permaneció un rato suspenso ante la marcial apostura de aquella inmóvil estatua, que tal parecía Enriquillo, medio envuelto en su lacerna, empuñando en la diestra una lanza de refulgente acero, cuyo cuento reposaba en tierra; la izquierda mano impuesta sin afectación sobre el pomo de su espada. Tranquilo y sereno contemplaba los esfuerzos que hacía la tropa castellana por llegar al escarpado risco donde estaba su infatigable jefe. El sol, el sol esplendoroso del medio día, bañaba en ardiente luz aquella escena y prestaba brillo deslumbrador a los hierros de las lanzas de los guerreros indios y a las bruñidas armas de los soldados españoles[67].

La novela termina con estas palabras sobre la gloria de Enriquillo, cacique de Bahoruco:

> Este nombre vive y vivirá eternamente: un gran lago lo perpetúa con su denominación geográfica; las erguidas montañas del Bahoruco parece como que lo levantan hasta la región de las nubes y, a cualquier distancia que se alcance a divisarlas en su vasto desarrollo, la sinuosa cordillera, contorneando los lejanos horizontes, evoca con muda elocuencia el recuerdo glorioso de Enriquillo[68].

La dualidad de reacción crítica que produjo el *Enriquillo* está caracterizada por la voz de dos antillanos. El novelista Nicolás Heredia, considerando la novela artísticamente, juzgó que la verdad histórica preocupó demasiado al autor:

[67] *Ibid.*, pág. 320.
[68] *Ibid.*, pág. 336.

"*Enriquillo* no es una leyenda sino una novela al estilo de las arqueológicas de Ebers, en donde apenas se cometen infidelidades contra la historia y en donde la erudición es un grillete inexorable a la fantasía"[69]. José Martí, como patriota y escritor, vio en la novela "una novísima y encantadora manera de escribir nuestra historia"[70]

Manuel de Jesús Galván escribió la obra como tributo a la Sociedad Abolicionista Española, habiendo concebido este propósito en el acto de proclamación por el gobierno español de la libertad de los esclavos en Puerto Rico. .

Los últimos reflejos del romanticismo alcanzan aún a la siguiente novela dominicana, *Baní, o Engracia y Antoñita* (1892), de FRANCISCO GREGORIO BILLINI (1844-1898). La acción se desarrolla en Baní, donde una revuelta política estremece de momento la apacible vida del pueblo. Pasada la tormenta, Baní resume su habitual tranquilidad, mientras que dos de sus niñas languidecen, olvidadas por un joven de la capital. Cuando Francisco Gregorio Billini escribió *Baní,* su única novela, hacía algunos años ya que había renunciado a su cargo de Presidente de la República. En su obra encuentran salida sus preocupaciones patrióticas y resume en estas palabras su lección cívica: "El trabajo y la instrucción será lo único que salve al país"[71].

[69] NICOLÁS HEREDIA, cit. por AMÉRICO LUGO: "Sobre nuestro movimiento literario", *Bibliografía,* Santo Domingo, La Cuna de América, 1906, pág. 99.

[70] JOSÉ MARTÍ: *Obras completas,* La Habana, Trópico, 1936-43, vol. XIX, pág. 207.

[71] FRANCISCO GREGORIO BILLINI: *Baní,* Santo Domingo, El Eco de la Opinión, 1892, pág. 484.

SEGUNDA PARTE

ARGENTINA, URUGUAY Y PARAGUAY

Por los años en que se bosquejaba la novela romántica en Cuba, en Buenos Aires se formaba el primer núcleo romántico. Un grupo de jóvenes patriotas se reunió hacia 1837 para constituir la Asociación de Mayo. Ante la contienda fratricida de unitarios y federales, anhelaban afirmar los ideales de la independencia. A la cabeza del grupo estaba Esteban Echeverría, imbuido de ideas románticas de los años pasados en Francia. Redactó como fe de la Asociación el *Dogma socialista*. El çapítulo que precede al manifiesto había de resumir el dogma literario que propagarían los jóvenes de esta generación en el destierro impuesto por la tiranía de Rosas. Montevideo fue el nuevo centro de reunión y floreció allí el romanticismo ríoplatense. Andrés Lamas encabezó el grupo uruguayo, colaborando en el movimiento romántico con los argentinos Juan María Gutiérrez, Miguel Cané, Juan Bautista Alberdi, etc. Como símbolo de la época, José Mármol escribió en el destierro *Amalia* (1851). Uruguay produjo como manifestación autóctona *Caramurú* (1848), versión romántica de un gaucho, de Alejandro Magariños Cervantes.

Durante las décadas de actividades patrióticas y culturales rioplatenses, las dictaduras de Francia y Carlos Solano López mantuvieron al Paraguay aislado de los países vecinos. Luego, la cruenta guerra de la Triple Alianza aniquiló al país. No es de extrañarse que no se desarrollara la novela en el Paraguay hasta comienzos del siglo XX.

IV

ARGENTINA

Las primeras manifestaciones del movimiento romántico en Argentina están evocadas en las páginas de la pintoresca autobiografía que escribió Vicente Fidel López (1848-1893) al recordar sus días universitarios. Nos cita sin preámbulos la fecha de 1830. Era el año de la revolución liberal que puso en el trono de Francia a Luis Felipe de Orleans e hizo efectiva la Constitución. Comenta López:

> Nadie hoy, es capaz de hacerse una idea del sacudimiento moral que este suceso produjo en la juventud que cursaba en las aulas universitarias. No sé cómo produjo una entrada torrencial de libros y autores que no se habían oído mencionar hasta entonces. Las obras de Cousin, de Villemain, de Quinet, de Michelet, Jules Janin, Merimée, Nisard, etcétera, andaban en nuestras manos, produciendo una novelería fantástica de ideas y de prédicas sobre escuelas y autores: románticos, clásicos, eclécticos, sansimonianos. Nos arrebatábamos las obras de Víctor Hugo, de Sainte Beuve, las tragedias de Casimir Delavigne, los dramas de Dumas y de Víctor Ducange, George Sand, etcétera. Fue entonces que pudimos estudiar a Niebuhr y que nuestro espíritu tomó alas hacia lo que creíamos las alturas. *La Revue de Paris,* donde lo nuevo y trascendental de la literatura francesa de 1830 ensayó sus fuerzas, era buscada como la más palpitante de nuestros deseos[1].

Los jóvenes estudiantes aprendieron "a pensar a la moderna", según expresión de López, y a escribir "con intenciones nuevas y con formas novísimas".

He aquí, cómo el despertamiento de la literatura francesa inoculó en nosotros, muchachos de 21 a 24

[1] Vicente Fidel López: *Evocaciones históricas,* Buenos Aires, El Ateneo, 1929, pág. 39.

años, el mismo ardor por la revolución social y el reinado de las ideas nuevas[2].

Afortunadamente, este movimiento intelectual coincidió, en 1832, con el final del primer período gubernativo de Rosas y con el nuevo gobierno del general Balcarce. Aunque era éste emergente de Rosas, su gobierno parecía predispuesto a un ambiente de sociabilidad culta[3].

Entre los jóvenes del grupo se contaba uno que había heredado gran fortuna y que se preocupó de este movimiento literario como de otras tantas modas elegantes. Empleó una suma considerable en mandar venir de París todos los libros en boga, franceses, italianos, alemanes, y una subscripción de la *Revista de París* y la *Británica*. Además, hizo agregar a la colección retratos litografiados de todos los autores célebres del tiempo[4].

Acudían a su casa los jóvenes universitarios, atraídos por la novedad de los libros y para ver los retratos de tan admirados autores. Uno de ellos, Juan Bautista Alberdi, entusiasmado por la frenología de Gall y de Spurzheim, regalaba a sus compañeros con largas disertaciones, llamándoles la atención sobre las protuberancias y compartimientos frontales de Balzac, de George Sand, etc. Juan María Gutiérrez se burlaba de semejantes pretensiones y los demás se permitían no hacer caso de tales lucubraciones[5].

Movidos por el entusiasmo intelectual y sin aparentes restricciones del gobierno, los jóvenes estudiantes decidieron reunirse en casa de un compañero, Miguel Cané, para organizar una asociación de estudios históricos y sociológicos según la nueva escuela francesa. Así podrían compartir sus lecturas y estudios. Mientras tanto, seguían asistiendo a la universidad[6].

A la vuelta inmediata de la Universidad, existía una librería que frecuentaban diariamente. La dirigía Marcos Sastre, muy conocido y popular entre los estudiantes. Recor-

[2] *Ibid.*, págs. 39-40.
[3] *Ibid.*
[4] *Ibid.*, pág. 40.
[5] *Ibid.*, pág. 41.
[6] *Ibid.*, pág. 52.

dado hoy por su prosa descriptiva y romántica del *Tempe argentino,* era entonces el primer bibliógrafo de aquellos días. Del trato constante con los estudiantes, le vino la idea de organizar un salón literario. Contó inmediatamente con la adhesión de los estudiantes López, Gutiérrez, Echeverría y cuarenta o cincuenta socios más. Un rico alemán a quien le gustaba discurrir sobre Goethe y Schiller, regaló a la asociación las obras de Schlegel traducidas al francés[7].

El Salón siguió siendo muy concurrido durante los años de 1835 y 1836. El nuevo dogma literario, el "Prefacio" de *Cromwell,* de Víctor Hugo, regía como una constitución sobre las ideas. Se entusiasmaban los jóvenes por la lectura de las *Palabras de un creyente,* de Lamennais, los discursos parlamentarios de Guizot, Thiers, Berryer, la *Roma subterránea,* de Didier, y especialmente por las obras de Lerminier, Leroux y Sainte-Beuve. Fue en este salón donde Gutiérrez leyó por primera vez los versos de *La cautiva,* de Esban Echeverría[8].

Mientras tanto, la situación política en Argentina se volvía cada vez más grave. El establecimiento del bloqueo francés, las actividades en contra del gobierno federal y la creciente emigración de la juventud produjeron un ambiente poco propicio para las actividades literarias del Salón. Además, Sastre había recibido ya algunas advertencias amenazadoras que provenían de la policía. Por lo tanto, se resolvió rematar la librería del Salón y cerrar las sesiones[9].

Estos jóvenes de la nueva generación intelectual habían acordado previamente, en el mes de mayo, formar una asociación secreta patriótica. Entre ellos se destacaba decididamente la figura de ESTEBAN ECHEVERRÍA (1805-1851). Algo mayor que los estudiantes del grupo, había experimentado ya la revolución romántica en los años que había pasado educándose en París, de 1826- a 1830. El se comprometió a formular el propósito y las bases de la conocida Asociación de Mayo en 1837.

---

[7] *Ibid.,* pág. 53.
[8] *Ibid.,* págs. 54-55.
[9] *Ibid.,* págs. 55-56.

La sociedad argentina, por aquel tiempo, estaba dividida en dos facciones irreconciliables que habían luchado largo tiempo en los campos de batalla:

La facción federal, que se apoyaba en las masas populares y era la expresión genuina de sus instintos semibárbaros y la facción unitaria, minoría vencida, con buenas tendencias, pero sin bases locales de *criterio* socialista, y algo antipática por sus arranques soberbios de exclusivismo y supremacía[10].

Entretanto había surgido una generación nueva que no se había mezclado en las guerras fratricidas que siguieren a la independencia nacional y que sentía el derecho de participar en los intereses públicos. Esta generación advocaba la propaganda de las doctrinas sociales del progreso dentro de un orden democrático basado sobre los ideales de la independencia. En el campo intelectual deseaba librarse de la tradición escolástica y de toda otra influencia de cultura hispánica. Los federales la miraban con desconfianza por sus actividades intelectuales. Los unitarios la miraban con menosprecio, creyéndola federalizada u ocupada en actividades frívolas. Rechazada por ambas facciones, esta generación se sentía aislada, con deseos de servir a la patria, pero sin vínculos que la uniese y le diese fuerza. De allí nació el propósito de formar una asociación patriótica[11].

Los unitarios, en realidad, habían dejado tras sí cierta tradición progresista. Eran los liberales, los proscritos, los que querían un gobierno constitucional. La generación nueva se había educado en la mayor parte en las escuelas fundadas por ellos. Era natural que los jóvenes sintiesen mayor simpatía por ellos, aunque no profesaran adhesión a ninguna de las dos facciones[12]. De 1837 a 1840, los de la nueva generación pasaron a ser proscritos ellos mismos bajo la tiranía del gobierno vigente. Fueron acogidos en Uruguay, Chile, Bolivia y Perú.

[10] ESTEBAN ECHEVERRÍA: *Dogma socialista, Obras completas,* Buenos Aires, Casavalle, 1870-74, IV vol., pág. 5.
[11] *Ibid.,* pág. 6.
[12] *Ibid.,* pág. 7.

Las *Palabras simbólicas* de Echeverría leídas ante los miembros de la Asociación poco antes de dispersarse, fueron adoptadas como credo dogmático. Al año siguiente, 1838, Juan Bautista Alberdi (1810-1884) dio a conocer el manifiesto en *El Iniciador,* periódico de vanguardia romántica en Montevideo, como *Dogma de la nueva generación.* Ocho años después, Echeverría reeditó el documento, publicado por la imprenta Nacional en 1846. Lo llamó *Dogma socialista de la Asociación de Mayo* y le agregó la "Ojeada retrospectiva sobre el movimiento intelectual en el Plata desde el año 1837" y una advertencia. Echeverría defendió sus ideales en cartas dirigidas desde Montevideo a Pedro de Angelis (1789-1860), cronista al servicio de Rosas. Las *Cartas* se publicaron en 1847. Antes y después de 1846, Echeverría escribió además otros ensayos de aclaración o defensa de su ideología[13].

Esteban Echeverría comprendió el romanticismo en su dualidad social y literaria. Encauzó los elementos románticos que ya asimilaban indistintamente los jóvenes universitarios cuando regresó de Europa y concretó así la ideología de una nueva generación. En el campo literario supo interpretar la doctrina de la escuela romántica como aplicable a lo autóctono, creando así una estética romántica nacional. Echeverría resume el significado de la nueva escuela evocando las palabras de Víctor Hugo: el romanticismo no es más que el liberalismo en la literatura[14]. Indica la estrecha relación que debe existir entre arte e ideología en estos términos:

> Política, filosofía, religión, arte, ciencia, industria, toda labor inteligente y material deberá encaminarse a fundar el imperio de la democracia... Arte que no se anime de su espíritu, y no sea la expresión de la vida individual y social, será infecundo[15].

[13] RICARDO ROJAS: *Obras,* Buenos Aires, La Facultad, 1924, vol. XII, págs. 355-358.
[14] ECHEVERRÍA: "Clasicismo y romanticismo", *op. cit.,* V vol., pág. 100.
[15] *Id.,* "Ojeada retrospectiva", *op. cit.,* IV vol., pág. 72.

Después de profesar el romanticismo en *Elvira* (1832) y los *Consuelos* (1834), escribe Echeverría *La cautiva,* de inspiración genuinamente americana. Introduce en la literatura argentina un tema nacional con color local auténtico. En 1837 incluye el poema en la edición de sus *Rimas* con una "Advertencia". En ella se perfila ya su estética americanista. Subraya la importancia de aprovechar la naturaleza, el más rico patrimonio, como fuente de inspiración nacional. Diez años más tarde, al elaborar su estética vuelve a decir:

> El arte americano, democrático, sin desconocer la forma, puliéndola con esmero, debe buscar en las profundidades de la conciencia y del corazón el *verbo* de una inspiración que armonice con la virgen, grandiosa naturaleza americana[16].

Dentro de la independencia de la nueva ideología, Echeverría hace una excepción con referencia al patrimonio español:

> El único legado que los americanos pueden aceptar y aceptan de buen grado de la España, porque realmente es precioso, es el *idioma*; pero lo aceptan a condición de mejora, de transformación progresiva, es decir, de emancipación[17].

A pesar de esta actitud de independencia literaria del maestro, su narración político-sociológica *El matadero* tiene más de la tradición española, con sus fuertes tintes realistas y su crítica mordaz, que de un estilo meramente romántico. Echeverría no pareció reconocer el rasgo genial de su propia obra y nunca la publicó. Se supone que la escribiera hacia 1840.

[16] *Ibid.,* pág. 102.
[17] *Ibid.* En 1838 Juan Bautista Alberdi había expresado su opinión sobre la emancipación de la lengua en las páginas de *El iniciador:* "Pero si es necesario abandonar la estructura española de la lengua que hablamos, y darle una forma americana y propia, ¿cuál pues deberá ser esta forma? Ella no está dada como tampoco la forma de nuestra sociedad: lo que sabemos es que a quien toca darla es al pueblo americano y no al español". (Alberdi, *Escritos satíricos y de crítica literaria,* Buenos Aires, A. Estrada, 1945, pág. 225).

Las normas del romanticismo americano convenían igualmente a la novela. Los novelistas del período romántico son los proscritos de la tiranía. Una característica los une: la conciencia nacional. La gran novela romántica argentina es la *Amalia* de JOSÉ MÁRMOL (1817-1871). Empezó a publicarse en 1844 en Montevideo[18]. Luego se hizo una segunda edición prologada por el autor en 1851 y otra revisada y aumentada en 1855. *Amalia* es la protesta contra la tiranía de Rosas.

Ya en 1845, Domingo Faustino Sarmiento (1811-1888) había publicado el *Facundo,* acérrimo ataque al régimen de Rosas, en los folletines de *El Progreso,* en Chile, donde hubo de distinguirse el ilustre maestro, escritor y estadista argentino. Era aquella la biografía novelada de Facundo Quiroga, general federalista. La precedía un estudio sociológico argentino sobre los elementos de civilización y barbarie.

En la "Ojeada retrospectiva", Echeverría elogia a Mármol entre los escritores que, aunque no profesaron las doctrinas de la generación del '37, se distinguieron por su devoción a la patria y por su perseverancia en la lucha contra Rosas. En 1837, Mármol figura en la autobiografía de Vicente Fidel López como alumno de éste en la cátedra de filosofía y retórica que el célebre maestro Diego Alcorta le había entregado a López. Mármol, en su novela, habla sólo de unitarios y federales.

El período que cubre la novela *Amalia* es el año negro de la tiranía de Rosas. Es el año en que las fuerzas de Lavalle fracasan en su propósito de llegar hasta la capital. Es el año del "mes de Rosas", octubre 1840, mes de terribles represalias por la Mazorca, de ejecuciones inmediatas por mera denuncia.

En este ambiente de anarquía se desarrolla la trágica historia de amor entre Eduardo y Amalia. La novela comienza con una escena de intenso dramatismo. En la oscu-

18 ARTURO GIMÉNEZ PASTOR: *Historia de la literatura argentina,* Buenos Aires-Montevideo, Editorial Labor, 1945, vol. I, pág. 230.

ridad de la noche, en las calles que van a dar al río, se bate desesperadamente un joven contra una banda de federales. Habían caído ya sus compañeros y estaba a punto de perecer gravemente herido cuando una mano poderosa lo salva de sus enemigos. El joven es Eduardo Belgrano. Intentaba emigrar con algunos compatriotas unitarios a la banda oriental del Plata. El compañero que lo salva es Daniel Bello, activo unitario que se burla siempre de la vigilancia federal, haciéndose pasar como el más leal servidor de Rosas. Eduardo se refugia durante su convalecencia en casa de una prima de su amigo, la hermosa Amalia de quien se enamora. Por razones de intriga y venganza personales por parte de la cuñada de Rosas, Eduardo no puede postergar más su salida del país. Efectivamente, el día de bodas de Amalia y Eduardo, asaltan la casa y mueren todos a manos de agentes federales.

La crítica ha señalado ya los elementos autobiográficos que entran en la composición de *Amalia*. Tanto Daniel Bello como Eduardo Belgrano se ven en situaciones similares a ciertos hechos de la vida del autor. Mármol estuvo preso siete días y salió gracias a la intervención de Julián González Salomón, presidente de la Sociedad Popular Restauradora (la Mazorca). Este le debía al joven autor, según dice la tradición, algunos servicios de carácter literario. En la novela, Bello, pasándose por federal, le redacta a Salomón sus discursos, como seguridad personal en caso de ser descubierto y aprehendido. Cuando Mármol sale de su prisión, se refugia en casa del cónsul americano y luego en la quinta de su tía, viuda (como Amalia) de un veterano de las guerras de independencia. Un caso más o menos paralelo sucede en la novela con Eduardo[19].

Sobre el aspecto histórico de la novela y de sus personajes, el autor da la siguiente explicación como nota preliminar:

> La mayor parte de los personajes históricos de esta novela existen aún, y ocupan la misma posición

19 ADOLFO MITRE: "Prólogo", *Amalia*, Buenos Aires, Estrada, 1944, págs. xxxiii-xxxv.

política o social que en la época en que ocurrieron los sucesos que van a leerse. Pero el autor, por una ficción calculada, supone que escribe su obra con algunas generaciones de por medio entre él y aquéllos. Y es ésta la razón por qué el lector no hallará nunca en presente los tiempos empleados al hablar de Rosas, de su familia, de sus ministros, etc. El autor ha creído que tal sistema convenía tanto a la mayor claridad de la narración cuanto al porvenir de la obra, destinada a ser leída... por las generaciones venideras, con quienes entonces se armonizará perfectamente el sistema, aquí adoptado, de describir en forma retrospectiva personajes que viven en la actualidad[20].

Esta técnica que favorece la obra, por otra parte da lugar a una falla. El vivísimo interés por la actualidad —para nosotros, el legado pintoresco del ambiente histórico— apasiona tanto al novelista que lo hace incurrir en frecuentes y largas digresiones. Entra en una serie de detalles que forman, es verdad, parte del conjunto histórico de la época, pero que son absolutamente superfluos al desarrollo de la novela. Sus digresiones, tomadas aisladamente, pudieran ser ensayos políticos o sociológicos.

A pesar de los reparos que se le puedan hacer a *Amalia*, la historia en sí capta la simpatía del lector. Los lances caballerescos de los héroes al estilo de las obras de Dumas (padre), sostienen el vivo interés de la novela. Añádase a esto cierto elemento de decidido buen humor tanto en la persona de Daniel Bello como en la cómica figura de su inestimable ayudante, don Cándido Rodríguez.

Los héroes Amalia y Eduardo son tipos perfectos, ideales, de sentimientos puros. Amalia es de una belleza inefable:

Había algo de resplandor celestial en esa criatura de veintidós años, en cuya hermosura la naturaleza había agotado sus tesoros de perfecciones, y en cuyo semblante perfilado y bello, bañado de una palidez

[20] JOSÉ MÁRMOL: "Advertencia", *op. cit.*, pág. 3.

ligerísima, matizado con un tenue rosado en el centro de sus mejillas, se dibujaba la expresión melancólica y dulce de una organización amorosamente sensible[21].

El autor se deleita en exhuberantes descripciones en todo lo referente a Amalia en las repetidas pinturas de su belleza física, los detalles de sus elegantes trajes, el lujo de su apartada quinta. Eduardo Belgrano es el héroe que pelea por la justicia y la libertad. Es el prototipo romántico idealista.

En *Amalia,* Mármol captó con gran acierto y arte el espíritu de una época. Primero, por su capacidad de haber reflejado en su obra las luchas y aspiraciones de un pueblo en una crisis de formación. Luego, por su fuerza de concentración. Prácticamente, la acción se desarrolla de mayo a octubre, 1840, y sin embargo, todo el panorama de la crisis se encuentra esencialmente en la novela.

VICENTE FIDEL LÓPEZ cultivó también la novela histórica nacional. Las circunstancias, de regla para todos los de su generación, lo forzaron en 1840 a emigrar a Chile, donde se reunió con Sarmiento, Alberdi y Mitre. Durante esos años dio comienzo a sus obras históricas y literarias. Cuenta el autor:

> Parecíame entonces que una serie de novelas destinadas a resucitar el recuerdo de los viejos tiempos, con buen sentido, con erudición, con paciencia y consagración seria al trabajo, era una empresa digna de tentar al más puro patriotismo[22].

Formó el propósito de iniciar "a nuestros pueblos", como dice, en las antiguas tradiciones:

> Hacer revivir el espíritu de la familia, echar una mirada al pasado desde las fragosidades de la revolución para concebir la línea de generación que han

[21] *Amalia,* pág. 210.
[22] VICENTE FIDEL LÓPEZ: "Carta-prólogo", *La novia del hereje,* Buenos Aires, Cultura Argentina, 1917, pág. 13.

llevado los sucesos y orientarnos en cuanto al fin de nuestra marcha[23].

Vicente Fidel López admira a Walter Scott y a James Fenimore Cooper. Cada uno, según él, había contribuido a preservar la dignidad tradicional de su pueblo. Tomándolos en principio por modelos, escribe *La novia del hereje, o La Inquisición de Lima.* Fue impresa primero en Chile como folletín de un diario. Unos diez años más tarde, se publicó en Montevideo, 1854, con un extenso prólogo del autor. En él define el concepto de la novela histórica en estos términos:

Una novela puede ser estrictamente histórica sin tener que cercenar o modificar en un ápice la verdad de los hechos conocidos. Así como de la vida de los hombres no queda más recuerdo que el de los hechos capitales con que se distinguieron, de la vida de los pueblos no quedan otros tampoco que los que dejan las grandes peripecias de su historia. Su vida ordinaria, y por decirlo así *familiar,* desaparece; porque ella es como el rostro humano que se destruye con la muerte. Pero como la verdad es que al lado de la vida *histórica* ha existido la vida *familiar,* así como todo hombre que ha dejado recuerdos ha tenido un rostro, el novelista hábil puede reproducir con su imaginación la parte perdida, creando libremente la *vida familiar* y sujetándose estrictamente a la vida histórica en las combinaciones que haga de una y otra parte para reproducir la verdad completa[24].

En *La novia del hereje,* Vicente Fidel López tuvo por objeto poner en acción, según dice, los elementos morales que constituían la sociedad americana en el tiempo de la colonia. Escogió a Lima por teatro porque aquella ciudad era para él la más perfecta expresión de todos esos elementos reunidos. La obra está esmeradamente documentada con gran acopio de notas. Tiene una trama bien urdida,

[23] *Ibid.*
[24] *Ibid.,* pág. 19.

en la cual resaltan las pasiones y luchas de cuatro entidades —la Inquisición, el Estado, la Iglesia y la familia de una joven— en un proceso suscitado por venganza de celos de un joven limeño. Su novia, María, se había enamorado de lord Henderson, oficial de Sir Francis Drake. La historia concluye felizmente, cuando Henderson salva a María de su prisión minutos antes de derrumbarse el edificio en el célebre terremoto de 1579.

Cuando Vicente López escribía los folletines de su novela en Chile, el costumbrismo ya estaba en boga. López describe con pluma costumbrista a toda la sociedad limeña, incluso a indios, cholos, zambos, negros curanderos, etc., sin faltar *las tapadas,* andando en mil intrigas. Con ello se anima el ambiente, se colorea el lenguaje de voces americanas y resalta una vena festiva y satírica.

Vicente Fidel López nunca llegó a realizar su vasto plan de novelar la historia argentina desde su época colonial hasta la independencia. En el prólogo a *La novia del hereje,* nombra cuatro novelas. El título de ninguna de ellas coincide con el de las otras dos que se publicaron. Pudiera ser que la de *El conde de Buenos Aires,* sobre el período que precede la revolución de 1810, sea la que conocemos ahora con el nombre de *La gran semana de 1810,* boceto de novela epistolar de poca extensión y alcance. *El capitán Vargas,* supuesta novela sobre los hechos que culminaron en los triunfos de Chacabuco y Maipú, corresponde a la época de *La loca de la Guardia.* Está basada ésta sobre la vida de una legendaria y exaltada mujer que vivía en las breñas de la cordillera de los Andes y siempre que venían tropas realistas a sorprender a las tropas libertadoras, ella se presentaba antes a prevenirlas. Teresa, la loca del relato, está bosquejada con arbitrariedad según las conveniencias de la novela. Ni capta simpatías, ni domina la historia. Mayor interés tiene la parte verídica de la novela. Aparecen allí San Martín, O'Higgins, Soler y dos personajes secundarios, que son, en realidad, los que animan la historia: la hermosa andaluza Pepita Morgado y el coronel Mariano Necochea, de las fuerzas de San Martín.

Vicente Fidel López ocupa un puesto eminente en la historia de su país por su labor docente y su colaboración cívica e la reorganización nacional después de 1852. Posee, además, gran distinción como historiador. Sus novelas constituyen una parte ínfima de su produción, aunque son importantes en la naciente literatura nacional.

Otro distinguido proscrito argentino que expuso también sus ideas sobre la novela americana fue el general BARTOLOMÉ MITRE (1821-1906). El ilustre presidente de la República fue en su juventud poeta y literato y a esa época corresponde su pequeña y única novela, *Soledad,* 1847. En su prólogo, Mitre señala a la América del sur como la región más pobre de novelistas. Cree que la causa se debe al estado de los pueblos americanos, que no han llegado a la madurez nacional propicia al género novelesco. Su visión de la novela como función sociológica es paralela a la de Vicente Fidel López. Dice Mitre:

El pueblo ignora su historia, sus costumbres apenas formadas no han sido filosóficamente estudiadas, y las ideas y sentimientos, modificados por el modo de ser político y social, no han sido presentados bajo formas vivas y animadas copiadas de la sociedad en que vivimos. La novela popularizaría nuestra historia echando mano de los sucesos de la conquista, de la época colonial, y de los recuerdos de la guerra de la independencia. Como Cooper en su *Puritano* y el *Espía,* pintaría las costumbres originales y desconocidas de los diversos pueblos de este continente, que tanto se prestan a ser poetizadas, y haría conocer nuestras sociedades tan profundamente agitadas por la desgracia con tantos vicios y tan grandes virtudes, representándolas en el momento de su transformación, cuando la crisálida se transforma en brillante mariposa. Todo esto haría la novela, y es la única forma bajo la cual puedan presentarse estos diversos cuadros tan llenos de ricos colores y movimiento[25].

---

[25] BARTOLOMÉ MITRE: "Prólogo", *Soledad,* Instituto de Lite-

Para Mitre, la novela

Es la vida en acción, pero explicada y analizada...
Es un espejo fiel en que el hombre se contempla
tal cual es con sus vicios y virtudes, y cuya vista despierta por lo general profundas meditaciones o salu-
dables escarmientos[26].

Soledad tiene ese tono moralizador. Es la historia de
una joven boliviana que ha tenido que casarse contra su
gusto para salvar una situación difícil en la familia. Un
joven de pocos escrúpulos la enamora, pero la ayuda a so-
brellevar las circunstancias la vuelta de su primo Enrique,
compañero de infancia. Era ahora héroe de Junín y Ayacucho. Poco después, muere el esposo de la joven, y por el
epílogo sabemos que Soledad y Enrique se casan.

Es difícil señalar una continuidad en el desarrollo de
la novela romántica argentina. La tiranía de Rosas forzó a
los jóvenes intelectuales a emigrar del país. La novela que
perdura hoy en día fue el fruto casi exclusivo de esta generación, dispersa en diferentes países, pero unida por una
misma formación intelectual, compartiendo más o menos las
mismas actividades literarias, luchando siempre por la misma causa. Las fechas de publicación distan mucho de las
fechas de los folletines originales, como sucedió con *Amalia*
y *La novia del hereje*. La pequeña novela de Mitre, *Soledad*,
apareció en La Paz como folletín del diario *La Epoca* en
1847. Luego quedó olvidada hasta 1907, cuando fue editada
en Chile con un cuento del autor, *Memorias de un botón de
rosa*[27].

Se escribieron otras novelitas durante la fase inicial del
período romántico, pero no se publicaron hasta más tarde,
en época más propicia. Tal fue el caso con la novelita de
JUAN MARÍA GUTIÉRREZ (1809-1878), *El capitán de Patricios*.
Según indicación del novelista LUCIO VICENTE LÓPEZ (1848-

ratura Argentina. Sección de documentos, 1928, IV serie, I, n. 4,
págs. 94-95.
[26] *Ibid.*, pág. 94.
[27] JUAN MILLÉ Y JIMÉNEZ: "Nota preliminar", *Soledad*, pág. 92.

1893) en sus *Recuerdos de viaje,* fue escrita probablemente
en 1843, en Turín. Se publicó en *La Revista del Río de la
Plata,* Buenos Aires, en 1874[28].

Juan María Gutiérrez fue el historiador y crítico literario de la generación del 37. Echeverría lo pondera en su
"Ojeada retrospectiva" como el primero entre los jóvenes
de la generación que llevara el buen gusto estético a la crítica literaria. Su novelita es una joya de pulcritud estilística
y un gracioso modelo en miniatura de una novela romántica sentimental americana.

Su historia es sencilla. María se enamora de un apuesto
capitán, que reúne las dos cualidades esenciales para ella:
virtud y talento. María es una joven de escultural belleza,
que se siente instintivamente atraída por lo noble y lo bello.
Lee a fray Luis de León y a Chateaubriand. Su espíritu armoniza con la madre naturaleza. Por las tardes, María acos-
tumbraba salir al corredor de su casa de campo y allí, entre
las enredaderas en flor, alzaba sobre su cabeza una copa de
miel silvestre, moviéndola en todas direcciones y llamando
a su manera a los colibríes. Venían y revoloteaban entre los
rizos sedosos de su protectora para posarse luego en la copa
y libar la miel que les ofrecía. En esta delicada novelita, el
amor brota con una melancolía de la cual participan los dos
jóvenes y augura el desenlace trágico de ella: el capitán
muere en una de las batallas libertadoras de 1811. María
entra en un convento.

Otra novelita del grupo primitivo romántico es *La familia de Sconner,* de MIGUEL CANÉ, padre (1812-1863). Es el
relato de un proceso judicial por el cual se le restituye a dos
huérfanos la herencia usurpada por un tío avaro. Esta novelita apareció en el cuarto tomo de la Biblioteca Americana con otros relatos breves del autor, entre ellos, la novelita *Esther,* 1858, muy admirada en sus días[29]. Miguel

[28] JORGE MAX ROHDE: "Noticia", *El capitán de Patricios,* Juan
María Gutiérrez, Buenos Aires, Instituto de Literatura Argentina.
Sección de documentos, 1928, IV serie, I, n. 2-3, pág. 41.
[29] RICARDO ROJAS: "Noticia", *Esther,* Miguel Cané, Buenos
Aires, Instituto de Literatura Argentina. Sección de documentos,
1929, IV serie, I, n. 7, pág. 271.

Cané fue uno de los proscritos en Montevideo que compartió las actividades intelectuales y cívicas de la generación del 37. Viajó por Europa y entre otros países visitó Italia. *Esther* corresponde a su estancia en Florencia, en 1851. En un episodio sentimental e ingenuo, se intercalan impresiones de arte y recuerdos de la patria.

Pertenecen también al grupo inicial de obras románticas, las novelitas de PEDRO ECHAGÜE (1821-1889), patriota, maestro y escritor. Echagüe luchó en los ejércitos de Lavalle, Acha, Lamadrid y Mitre. Se retiró a vivir en San Juan, nombrado Director General de Escuelas, puesto que Sarmiento creó especialmente para él. En las letras, fue iniciador del teatro argentino, compuso versos y escribió las novelitas *Un lego de San Francisco, Amalia y Amelia, La Rinconada* y *La Chapanay*. La primera se considera perdida. La segunda está incluida en sus *Memorias y tradiciones* y existe una edición de San Juan, 1886: *Cuatro noches en el mar, o Amalia y Amelia*. Es una historia pasional de dos hermanas gemelas, de pobre estilo, con un desenlace trágico. Las dos últimas son más extensas, bien expuestas y de prosa llana.

La Rinconada revive un episodio de la revolución de 1861 referente a los anales de San Juan. Echagüe la llamó primero *Elvira, o El temple de un alma sanjuanina*. Luego le cambió el título romántico por otro más realista. La heroína, Elvira, es una joven serena y resuelta en sus acciones. Su novio se hallaba en el encuentro de la Rinconada. Con la idea fija que el joven patriota no había muerto, recorre sola el campo de batalla, lo encuentra y lo consuela en sus últimos momentos. Había sido torturado por un hombre perverso que ya había sido la causa de gran deshonra para la familia de Elvira. Cuando vuelve éste en busca de una daga valiosa que había perdido, Elvira realiza su venganza.

La Chapanay también es una obra de fondo romántico pero el tipo de la heroína, los detalles realistas y la prosa tersa indican ya un estilo de transición. La heroína es una muchacha amazona a quien sólo le atrae el campo abierto. Marina Champanay fue un personaje real que luego pasó al folklore cuyano. En la novela se asocia con un gaucho malo, pero pronto se hastía de una vida de bandidaje y crímenes. Decide vindicarse de sus primeros errores y serle útil a la sociedad. La Chapanay se vuelve protectora del viajero solitario.

La Chapanay se afilia a la literatura gauchesca. Echeverría empleó por primera vez el tema nativo de la pampa y sus moradores en La cautiva, 1837. Juan María Gutiérrez emuló al maestro en los versos Los amores del payador, 1838, y en otros poemas nativos. El mismo año Bartolomé Mitre compuso Santos Vega, el primer poema sobre este payador legendario. La tradición del payador siguió con Hilario de Ascasubi (1807-1875) en un extenso poema del mismo nombre y luego en otro de Rafael Obligado (1851-1920). También apareció Santos Vega como héroe de una de las novelas episódicas de EDUARDO GUTIÉRREZ (1853-1899). Dentro del mismo tema gauchesco, Estanislao del Campo publica en 1866 el Fausto en versos festivos, y de 1872 a 1879, José Hernández, el Martín Fierro, considerado como el mejor poema en su género. Sarmiento había dado a conocer en 1845 sus excelentes ensayos sobre el gaucho, los cuales sirvieron de introducción al Facundo. La popularidad del gaucho en la novela llega a su apogeo en la década del 80 con las obras de Eduardo Gutiérrez. Algunas de ellas se adaptaron al teatro, o propiamente dicho, al teatro circo. La más nombrada de su larga serie es Juan Moreira, 1881. El gaucho fue el último rebelde romántico. Su individualismo quedó luego estampado en la literatura nacional en tonos realistas.

La dictadura de Rosas duró hasta 1852. A partir de esa fecha, durante las décadas de reorganización nacional, las tendencias cambiaron hacia el positivismo y el realismo. No obstante, la novela romántica siguió publicándose. En los años de la tiranía, había comenzado ya la introducción de novelas románticas extranjeras en el país. La importación de estas obras y la edición local de ellas aumentó considerablemente después de 1853. La preferencia popular favoreció a Dumas y Fernández y González; luego a Pérez Escrich. El gusto culto se inclinó hacia Walter Scott, Fenimore Cooper y Hoffmann[30]. Durante los primeros años después de la tiranía, comenzó a ensayar la novela romántica gran número de novelistas menores cuyo mérito queda relegado a interés bibliográfico[31]. Entre los novelistas románticos de ese período figura un grupo de escritoras porteñas, célebres en sus días. Entre ellas recordamos hoy a JUANA MARÍA GORRITI (1819-1892).

De las obras de Juana María Gorriti, se hicieron dos colecciones de cuentos, leyendas y novelitas: *Sueños y realidades,* 1865, y *Panoramas de la vida,* 1876. Juana María Gorriti fue hija del general salteño Juan Ignacio Gorriti. Siguió a su padre en la expatriación. En Bolivia contrajo matrimonio con Isidoro Balzú, quien fue luego presidente del país. Abandonó Bolivia para establecerse con sus hijos en Lima, escribiendo y presidiendo las tertulias de su nombrado salón literario. Sus obras aparecieron primero como folletines de los periódicos limeños y alcanzaron, pese a nuestra opinión moderna, gran popularidad. Se inspiró con frecuencia en leyendas incaicas o en temas de la historia nacional argentina. Su estilo es excesivamente melodramático y amanerado. Entre sus novelitas nacionales se cita *El pozo de Yocci* y entre sus leyendas, *El tesoro de los incas* y *La quena.*

La tradición romántica en la novela argentina se prolonga hasta la penúltima década del siglo. No obstante, se nota ya la transición de estilo en otras obras novelescas a partir de 1870. En este año aparece la memoria novelada de LUCIO VICTORIO MANSILLA (1837-1913), *Una excursión a los indios ranqueles.* Al año siguiente, *Peregrinación de Luz del Día,* o *Viaje y aventuras de la verdad en el Nuevo Mundo,* de JUAN BAUTISTA ALBERDI (1810-1884), una sátira política en forma novelada, con personajes alegóricos y literarios. En 1880, *Juvenilia,* el relato autobiográfico de MIGUEL CANÉ, hijo (1851-1905). Finalmente, en 1882, *La gran aldea,* de

---

[30] ROJAS: *Obras,* vol. XV, pág. 620.
[31] JORGE MAX ROHDE: *Las ideas estéticas en la literatura argentina,* Buenos Aires, Coni, 1921-26, III vol., págs. 157-58.

LUCIO VICENTE LÓPEZ, y *Potpourri,* de EUGENIO CAMBECERES, cierran el ciclo romántico con las nuevas tendencias realistas y naturalistas.

URUGUAY

El movimiento romántico en el Uruguay se inició bajo la influencia directa de los jóvenes emigrados argentinos de la Asociación de Mayo: Esteban Echeverría, Juan Bautista Alberdi, Juan María Gutiérrez, José Mármol, Bartolomé Mitre, Miguel Cané y otros. Fraternizó con ellos una nueva generación de jóvenes intelectuales llevados por el entusiasmo de la nueva escuela. Montevideo llegó a ser el centro intelectual del Plata. Por el largo asedio de nueve años que resistió contra las fuerzas de Rosas, mereció el nombre poético de la Nueva Troya, según le designó Alejandro Dumas en una de sus obras. A los jóvenes literatos de la época se les conoció luego como los de la generación de la Defensa.

En 1838, ANDRÉS LAMAS (1820-1891), fundó con Miguel Cané *El Iniciador,* periódico donde se consagra por primera vez el dogma romántico en Montevideo. El joven Andrés Lamas, luego distinguido publicista e historiador, redactó el primer artículo editorial. En él proclamaba:

> Hay que conquistar la independencia intelectual de la nación, su independencia civil, literaria, artística, industrial, porque las leyes, la sociedad, la literatura, las artes, y la industria deben llevar como nuestra bandera, los colores nacionales, y como ella ser el testimonio de nuestra *independencia* y *nacionalidad*[32].

Era la misma estética americana tal como la habían expuesto los de la Asociación de Mayo, salvo en una particularidad: el grupo uruguayo permanecía dentro de la fe tradicional de la Iglesia. Afirma Lamas:

> Nosotros creemos que es preciso huir tanto de la literatura atea como de la literatura pagana; de la desesperación de Byron, como de la inapelable fa-

---

[32] ANDRÉS LAMAS: *Escritos selectos,* Montevideo, Arduino Hnos., 1922-52, I vol., págs. 11-12.

talidad de Sófocles. La base de todo pensamiento fecundo, el fundamento de toda opinión, de toda ciencia, de toda fe, es la religión[33].

LAMAS dirigió con Juan María Gutiérrez la *Revista del Río de la Plata,* de historia, literatura y ciencias sociales. Fue una de las publicaciones platenses más importantes de su época. Luego colaboró con Miguel Cané en *El Nacional,* periódico doctrinario, superado sólo por *El Comercio del Plata,* que dirigía el argentino FLORENCIO VARELA (1807-1848), hermano del poeta de la independencia, JUAN CRUZ VARELA[34]. Ante los jóvenes de la generación romántica, Florencio Varela defendía la tradición clásica. Se le recuerda en la historia política argentina como el prototipo del porteño unitario.

La querella entre clásicos y románticos en Montevideo se realizó entre los intelectuales de las dos generaciones de emigrados argentinos, entre Alberdi y Echeverría y el enérgico Florencio Varela. El certamen poético celebrado en el Coliseo en 1841 decidió el triunfo de los románticos. Ganaron los tres lugares de distinción Juan María Gutiérrez, Luis L. Domínguez y José Mármol. El jurado estaba integrado por clasicistas. Florencio Varela redactó el dictamen. Se le concedía el primer premio a Juan María Gutiérrez porque su estilo se aproximaba más a la corrección académica estimada por el jurado.

Alberdi refutó los preceptos de crítica literaria sobre los cuales se basaba el jurado en un folleto que resultó ser otro manifiesto de la nueva estética americana. Defiende el americanismo y la libertad de formas en la literatura.

> Confiemos en este poder de espontaneidad que es inherente al genio. Dejemos que los talentos americanos se abandonen a sus propias fuerzas: muchos sucumbirán en los ensayos; pero alguno habrá que supere y acierte a dotar a la América de una literatura suya y peculiar[35].

[33] *El Nacional,* 1841, *supra.,* pág. 43.
[34] RICARDO ROJAS: *Obras,* Buenos Aires, La Facultad, 1924, vol. XIII, pág. 661.
[35] JUAN BAUTISTA ALBERDI: *Obras selectas,* Buenos Aires, La Facultad, 1920, I vol., pág. 136.

Entre los románticos de la Defensa se distinguió ALE-
JANDRO MAGARIÑOS CERVANTES (1825-1893). Poeta, dramaturgo, crítico, se le cuentan como novelas *La estrella del sud*,
Justicia de Dios, *Odio y amor*, *La espada de dos filos* y
Caramurú. Escribió *La estrella del sud* en su viaje a Europa
en 1846. Se publicó en Málaga (1849). Las dos obras más
conocidas de Magariños Cervantes son el poema *Celiar*
(1852) y su novela *Caramurú*, publicada en Madrid en 1848.
Las demás novelas han quedado relegadas al olvido. *Caramurú* viene a ser en prosa el paralelo de *Celiar* en verso.

Magariños Cervantes fue un romántico de escuela más
que de temperamento.

> Era un ciudadano muy honorable, pero positivo;
> era un caballero muy correcto, pero común. Ninguna
> tempestad pasional agitó la normalidad doméstica de
> su vida; ninguna idealidad heroica le lanzó al peligro
> de la lucha o a la penuria de las persecuciones. Y
> esto, en tiempos tan revueltos y bravos como los suyos
> —y para un romántico...— da la medida de su carác-
> ter burgués[36].

Hasta 1855 vivió fuera en el Brasil, en España y en París. En España participó en las actividades literarias de la
época, colaborando en revistas y vinculando estrecha amistad con Cánovas del Castillo, Zorrilla, Castelar, Ochoa, Baralt y Núñez de Arce. En París fue corresponsal de *El Mercurio* de Valparaíso y de *La Constitución* de Montevideo,
y fundó la *Revista Española de Ambos Mundos*. Volvió a
su patria ya famoso con *Celiar* y *Caramurú*. En Montevideo,
programó la publicación de la Biblioteca Americana. Desde
1856 en adelante, desempeñó altos cargos del gobierno como diplomático, senador y ministro. Fue, además, catedrático y rector de la Universidad. Su salón literario fue un
centro de estímulo para las letras.

Caramurú es un relato sentimental que inicia con éxito
la novela nativa del Uruguay. En los renglones de la "Advertencia" que la precede, el autor señala que:

[36] ZUM FELDE: *Proceso intelectual del Uruguay*, II vol., pág.
181.

Aunque no es una novela histórica ni tenga pretensiones como tal, sus personajes no pueden considerarse absolutamente como hijos de la imaginación. Nos consideramos muy felices, "agrega", si a favor de una fábula que interese agradablemente al lector y excite sus nobles sentimientos, conseguimos bosquejar algunos rasgos del país, de la época y de los personajes que figuran en este libro[37].

La historia comprende los últimos años de lucha entre montoneros patriotas y realistas brasileños, lucha que culmina con el triunfo nacional en la gran batalla de Ituzaingó, 1827. Se desarrolla en un ambiente melodramático. Comienza con un rapto en una lóbrega noche. Amaro es el héroe. Es el gaucho noble, misterioso y temido. Es el jefe de los montoneros patriotas, conocido en el campo de batalla como Caramurú, "el hombre de la cara de fuego". Lía es la heroína de catorce años, que por su salud se encuentra en la estancia de unos parientes. Amaro se lleva a Lía a su campamento en el bosque, pero el padre de ella, por medio de un baqueano célebre en la comarca, averigua su paradero. Mientras tanto, Amaro descubre que el padre de Lía era su protector de otros tiempos. La inocente Lía vuelve al hogar de sus padres como prometida de Amaro. La historia se complica con la presencia del conde de Itapeby, rival de Amaro. En la batalla de Ituzaingó se encuentran de nuevo. El conde, mortalmente herido, revela que Amaro es su hermano natural. Les desea a Lía y Amaro toda felicidad.

El aspecto interesante de *Caramurú* es su americanismo. En España la novela fue muy bien acogida. Celebraron la novedad del tema y el exotismo del ambiente. El autor, por su parte, escribió la novela para el público madrileño. Interviene con frecuencia en la historia para explicar tal o cual característica autóctona. Describe con esmero al gaucho, sus varios tipos, el traje que lleva y sus costumbres.

[37] ALEJANDRO MAGARIÑOS CERVANTES: *Caramurú*, Montevideo. C. García & Cía., 1939, pág. 37.

Helo aquí, guarecido bajo un *ombú* contra los furores del *pampero*:

Era un joven como de veintiocho años; alto, de tez morena y vigorosa musculatura. Cubría su espaciosa frente un sombrero portugués de copa redonda y ancha ala, adornado con algunas plumas de pavo real, entre las que se distinguía un ramito de flores silvestres ya marchito y atado en la cinta del sombrero con otra de seda. Abundantes cabellos negros, tersos y relucientes, flotaban sobre sus robustas espaldas, en agradable desorden; su larga y poblada barba, que le llegaba hasta el pecho, caía sobre la botonadura de plata de su *poncho,* especie de capa cerrada que se mete por la cabeza; sus ojos rasgados y brillantes, coronados por espesas cejas que se unían en forma de herradura, tenían una indefinible expresión de arrogancia y de orgullo, templada por cierto aire regio e importante, que subyugaba o predisponía a su favor. La naríz aguileña, la boca grande, pero muy delgados los labios, revelando la desdeñosa altivez del que se cree superior a cuanto le rodea.

Cuando el viento levantaba el halda de su *poncho,* distinguíase debajo de él una chaqueta de grana bordada con trencilla negra; un pañuelo de espumilla formaba el *chiripá,* liado a la cintura a guisa de saya, recogidas las puntas entre los muslos para poder montar a caballo, y sujeto al cuerpo por un *tirador,* especie de canana de piel de gamuza, del cual pendía un enorme puñal de vaina y cabo de plata; anchos calzonzillos de finísimo lienzo, adornados en los extremos con un gran fleco o *crivao,* resguardaban sus piernas, y descendiendo hasta los tobillos, ocultaban a medias unas espuelas de plata colosales, y las blanquecinas botas de potro formadas con la piel sobada de este animal. Dichas botas, partidas en la punta, dejaban al descubierto los dedos de los pies para asegurarse mejor en los estribos, de forma triangular y tan pequeños que apenas daban cabida al dedo principal[38].

Magariños Cervantes describe también al indio charrúa, así como al campo uruguayo, las peculiaridades del clima y lo típico de la flora y fauna del país. Emplea la terminología nativa y para mayor colorido, usa el lenguaje de los gauchos en los diálogos. Esto lo hace en forma limitada, por sentir, como lo expresa en una nota, que una documentación laboriosa resultaría un tanto fastidiosa para el lector.

A Magariños Cervantes le corresponde el mérito de haber desarrollado el tema nativo con su poema *Celiar* y su novela *Caramurú*. Estos dos géneros alcanzaron mayor plenitud artística en la siguiente generación literaria del Ateneo con *Tabaré*, de JUAN ZORRILLA DE SAN MARTÍN (1857-1931) y las novelas nacionales de EDUARDO ACEVEDO DÍAZ (1851-1921).

En el Ateneo de Montevideo surgió una segunda generación de escritores idealistas que prolongaron el romanticismo en un estilo moderado de transición hasta fines del siglo. El Ateneo se organizó en 1877 al integrarse en uno de los centros de cultura existentes. Los de la nueva generación del Ateneo rechazaron, en general, el positivismo y el realismo pero, por otra parte, abandonaron el amaneramiento estilístico de la escuela romántica, guardando sólo su idealismo. Al inaugurar las veladas mensuales, el presidente del Ateneo concretó en estos términos la opinión literaria de entonces:

> La literatura cuyo objeto se reduce a copiar la realidad en todas sus manifestaciones, ya sean nobles, ya sean repugnantes, sin tener a vista un ideal, ni proponerse un fin de moralización y de progreso puede ser un entretenimiento agradable pero no es una enseñanza capaz de despertar en los corazones el culto de la virtud, ni el amor de la abnegación y de la gloria...
> La literatura debe ser un instrumento que sirva para

---

[38] *Ibid.*, págs. 41-42.

llevar al seno de las almas, los ejemplos que educan y las ideas que ennoblecen[39].

El hecho de que negaran el realismo y el positivismo demuestra en sí una conciencia de esta tendencia inminente y renovadora, que se infiltraba ya en la literatura, determinan la moderación en el estilo.

Los atenenses se diferenciaron especialmente de los románticos de la Defensa al advocar la libertad de pensamiento contra el dogmatismo teológico de la Iglesia. Se manifestó un movimiento liberal de 1875 a 1885, confundiéndose en parte con la lucha civilista contra las tiranías que trajo como resultado la reforma del sistema escolar oficial[40].

Durante este período de pugna entre católicos y liberales, apareció una novela breve, *Cristina*, de DANIEL MUÑOZ (n. 1849), conocido como *Sansón Carrasco* en sus artículos de costumbres. *Cristina* resultó ser una novela de tesis, un alegato contra la clausura monjil. Es una historia sentimental e ingenua de una joven que se ve obligada a separarse de la persona que ama por la desaprobación de sus padres. Resuelve entrar en el convento, donde muere sin que se le conceda a su madre una última visita. Aunque de escaso valor literario, *Cristina,* en su época, suscitó protestas y aclamaciones al ser condenada por los católicos y tomada como arma de combate por los liberales[41].

A instancias de Daniel Muñoz, CARLOS MARÍA RAMÍREZ (1848-1898) publicó en 1883 *Los amores de Marta* como contribución a *La Razón,* uno de los órganos periodísticos de propaganda de los librepensadores atenenses. En 1884, la novela tuvo una segunda edición. Según el "Prefacio" del autor, la había escrito unos años antes, encontrándose de emigrado político en Buenos Aires. En 1870, bajo semejantes circunstancias, en la sierra de Córdoba, había bosquejado otra novela, *Los palmares,* que publicó diez años más tarde de folletín de un diario.

[39] ZUM FELDE: *op. cit.,* págs. 204-205.
[40] *Ibid.,* pág. 215.
[41] CARLOS ROXLÓ: *Historia crítica de la literatura uruguaya,* Montevideo, Barreiro y Ramos, 1912, II vol., págs. 199-201.

Los amores de Marta no tiene otro interés que el de su título. Marta es una joven de la sociedad argentina que viste a la moda parisiense y es heredera de una inmensa fortuna. En la obra se siente decididamente el ambiente realista. La acción se ha concentrado en la vida diaria de una sociedad frívola, escéptica, cosmopolita. El estilo es de tono banal, prosaico, ligeramente irónico, salpicado de una porción de expresiones francesas e inglesas que usan los personajes de esta "high life".

La generación del Ateneo constituyó una escuela de transición. De la generación de esa época (aunque no de la Pléyade del Ateneo) surge la figura de EDUARDO ACEVEDO DÍAZ, considerado ya desde su primer período como novelista realista. En 1888 inicia con *Ismael* su célebre serie de novelas históricas naconales en una plenitud artística moderna.

VI

PARAGUAY

La historia literaria del Paraguay no siguió el mismo proceso de formación que las naciones vecinas de la región del Plata debido a la peculiaridad histórica del país. En 1915, Cecilio Báez (presidente del Paraguay en 1905), resume la posición literaria de la nación en estos términos:

> Hoy se piensa y se escribe en el Paraguay. No poseemos, ni en prosa ni en verso, obra alguna de gran aliento; pero se publican muchas monografías históricas, jurídicas y científicas, así como buen número de obras de poesías, que constituyen nuestro patrimonio literario o representan los balbuceos de una literatura naciente[42].

No es de extrañarse, por lo tanto, que la primera novela de importancia en el Paraguay no surgiera hasta 1920.

Hay que recordar brevemente los datos de la historia del Paraguay para comprender este fenómeno literario. Los jesuitas se establecieron en el Paraguay por orden de Felipe III en 1608 con objeto de colonizar al país. Permanecieron aproximadamente siglo y medio. Formaron centros de evangelización y colonización, introdujeron la imprenta y aportaron su cultura al país. Después de la expulsión de los jesuitas en 1767, el Paraguay fue unido al virreinato de la Plata. Al iniciarse la independencia americana, José Gaspar Rodríguez de Francia se hizo dictador del país en 1814. Su dictadura se prolongó hasta su muerte en 1840. Durante todo ese tiempo, Francia no hizo nada por elevar la cultura del país y aisló completamente al Paraguay de las naciones vecinas. Al morir Francia, se apoderó de la dictadura su sobrino, Carlos Solano López. Durante su gobierno se hicieron algunas tentativas en favor de la instrucción públi-

---

[42] CECILIO BÁEZ: "El movimiento intelectual del Paraguay", cit. por HUGO D. BARBAGELATA: *La novela y el cuento en Hispanoamérica*, Montevideo, Enrique Míguez & Cía., 1947, pág. 152.

ca y se imprimió el primer periódico del país, *El Paraguayo
Independiente,* en 1845. Le sucedió su hijo, Francisco Solano López, en 1862. Durante este gobierno, el Paraguay sos-
tuvo la cruenta guerra de la Triple Alianza, de 1865 a 1870,
contra Argentina, Brasil y Uruguay. La población disminuyó
de un millón de habitantes a trescientos mil ancianos, mujeres y niños.

Antes de 1870, los jóvenes intelectuales publicaban sus
primeros ensayos en la revista literaria *Aurora*[43]. De aquella
generación se destaca NATALICIO TALAVERA (1839-1867), el
primer bardo nacional y cronista de la guerra del 65. Su
labor intelectual quedó esparcida en las publicaciones de
la época. Tradujo del francés a *Graziella,* de Lamartine[44].

Después de la constitución de 1870, se inicia en el Paraguay un período de reconstrucción. Dos acontecimientos
contribuyeron a enaltecer la cultura paraguaya: la fundación del Colegio Nacional de Enseñanza Secundaria y Superior, en 1877, y de la Universidad de Asunción, en 1889.
Sigue predominando en las letras la literatura política. Los
escritores son juristas, historiógrafos, periodistas. Se cultiva
el ensayo y la poesía, pero la novela paraguaya no ha de
tener salida hasta el siglo siguiente.

En 1920 aparece la primera novela de importancia en el
Paraguay: *Aurora* de JUAN STEFANICH, historiógrafo y publicista contemporáneo. Con anterioridad a esta novela se
citan en la bibliografía de la literatura paraguaya: *Camiré.
Novela nacional,* del DR. FLORIÁN[45] y *A través de un alma,*
1911, de Leopoldo Centurión[46]. *Camiré* apareció en el segundo y tercer número de la *Revista del Instituto Nacional* en
1896. Posiblemente sea la traducción de una de las novelitas

---

[43] JUAN NATALICIO GONZÁLEZ y PABLO M. YNSFRÁN: *El Paraguay contemporáneo,* París-Asunción, Editorial de Indias, 1929,
pág. 58.

[44] GONZÁLEZ: *Solano López y otros ensayos,* París-Asunción,
Editorial de Indias, 1926, pág. 158.

[45] MAXWELL I. RAPHAEL y JEREMIAH D. M. FORD: *A Tentative
Bibliography of Paraguayan Literature,* Cambridge, Mass., Harvard
University Press, 1934, pág. 12.

[46] WILLIAM B. PARKER: *Paraguayans of Today,* Londres-Nueva
York, The Hispanic Society of America, 1921, pág. 223.

románticas del escritor francés Juan Pedro Claris de Florián (1755-1794). El original es un relato sentimental de un noble indio guaraní por una joven huérfana española en tiempos de la fundación de las primeras misiones en el Paraguay. Según los datos bibliográficos, *A través de un alma* es un ensayo juvenil de LEOPOLDO CENTURIÓN (1893-1922), conocido por su colección de artículos críticos y satíricos, *A través de un monóculo*, 1916, y tres comedias: *Final de un cuento*, 1908, *El huracán*, 1916 y *La cena de los románticos*.

En las anotaciones literarias que hace Cecilio Báez en su historia del Paraguay, cita dos novelas del literato contemporáneo JOSÉ RODRÍGUEZ ALCALÁ, *Ignacia* y *Gérmenes,* y una del poeta ARTURO D. LAVIGNE, *Amor en prosa,* las tres escritas antes de 1910[47].

Aurora, de Juan Stefanich, es una novela histórica contemporánea, plenamente desarrollada. Fue premiada en un concurso del Gimnasio Paraguayo. Traza los incidentes de las revueltas políticas que agitaban la capital paraguaya hacia 1910. Aurora es el nombre de la heroína, una bellísima y altiva paraguaya de quien se enamora un joven estudiante. Al sufrir éste una amarga decepción, sublima sus sentimientos al amor de su patria y se consagra para siempre a "la nueva aurora", al porvenir del Paraguay. La novela manifiesta alguna influencia de las tradiciones literarias del siglo anterior. Del legado romántico queda el tono melodramático, un sentimentalismo desbordante y extremo idealismo. Tiene pasajes buenos de estilo costumbrista y satírico. Por otra parte, se notan rasgos de técnica realista en las escenas intermitentes de la revolución y en la sencilla descripción de los pueblecitos a lo largo del río Paraguay. *Aurora* tiene la distinción de ser la primera novela paraguaya que se destaca en la historia literaria del país.

[47] BÁEZ: *Resumen de la historia del Paraguay desde la época de la conquista hasta el año 1880.* Seguido de la historia particular de la instrucción pública desde el gobierno de Domingo Martínez de Irala hasta nuestros días, Asunción, H. Kraus, 1910, pág. 220.

TERCERA PARTE

CHILE, BOLIVIA Y PERU

Los emigrados argentinos, durante la dictadura de Rosas fueron acogidos también en Chile, Bolivia y Perú. Intelectuales de espíritu militante, su presencia fue un estímulo para las letras, especialmente en Chile, donde el terreno había sido preparado ya para el romanticismo por Andrés Bello y José Joaquín de Mora. Entre los emigrados se destacaron Sarmiento y Vicente Fidel López. Encabezaron polémicas literarias entre tradicionalistas y progresistas sobre la lengua y el romanticismo. Simpatizando con los emigrados argentinos se distinguía el nuevo maestro de la generación romántica, José Victoriano Lastarria.

El curso de la novela en Chile se adelantó de dos décadas a los demás países con la figura de Alberto Blest Gana. Se olvidaron los débiles ensayos de la novela romántica chilena y se aclamó con entusiasmo al maestro que ofrecía un nuevo estilo, el realismo.

En la aislada Bolivia, dejaron el fruto de su labor periodística y de maestría Bartolomé Mitre, Pedro Echagüe, Felipe Frías y otros. El desarrollo de la novela fue lento, pero triunfó con la obra de Nataniel Aguirre, *Juan de la Rosa* (1885).

En el Perú, un olvidado poeta español, Fernando Velarde, con sus versos zorrillescos, entusiasmó la juventud literaria en el nuevo fervor romántico. A pesar de las relaciones y actividades culturales del país, no resaltó la novela durante época romántica. El género, al parecer, quedó desplazado por las famosas *Tradiciones peruanas* de Ricardo Palma.

VII

CHILE

A principios de mayo de 1842, los alumnos del Instituto Nacional de Santiago de Chile, promovidos por una preocupación cívica y el deseo de iniciar una literatura nacional, se reunieron oficialmente para inaugurar las sesiones de una Sociedad Literaria. Fue esta reunión la primera manifestación organizada de la escuela romántica en Chile por parte de una nueva generación intelectual. El director era el joven maestro JOSÉ VICTORINO LASTARRIA (1817-1888) y su discurso inaugural constituyó el dogma literario para los miembros de esta nueva generación del '42.

Dos escuelas concurren en la formación de estos jóvenes literatos. Una precedente, formativa, heterogénea y otra incidental, decididamente romántica, que sirvió para avivar la conciencia literaria y el orgullo nacional. Representaban la primera los maestros ANDRÉS BELLO (1781-1865) y JOSÉ JOAQUÍN DE MORA (1784-1863). La segunda, los emigrados argentinos, en particular Sarmiento y Vicente Fidel López.

Andrés Bello y José Joaquín de Mora contribuyeron a iniciar el romanticismo en Chile, aunque sin conciencia de escuela. La formación de ambos era neoclásica, pero estuvieron en Londres durante el apogeo romántico antes de trasladarse a la patria adoptiva. No tuvieron el deseo de afiliarse a ninguna escuela en particular. Ni el uno ni el otro podía sentirse limitado por las modalidades de una escuela. En cuestiones literarias, Bello permanecía como el crítico imparcial del justo medio. Desechaba las restricciones de la escuela clásica y censuraba la excesiva libertad de la romántica. Pretendía allanar la gran muralla divisoria en el teatro, señalando que en ambas escuelas el propósito y la finalidad del arte, en realidad, eran los mismos[1]. José

---

[1] Cf. ANDRÉS BELLO: "Juicio crítico a don José Gómez Hermosilla", *Obras,* Santiago de Chile, P. G. Ramírez, 1881-93, VII vol.; "Teatro", *op. cit.,* VIII vol.; "Discurso de instalación de la Uni-

Joaquín de Mora, por otra parte, diría al prolongar sus *Leyendas españolas* que tal vez no procedía con acierto al no tratar la gran cuestión pendiente entre clásicos y románticos:

> Tengo una razón muy poderosa para abstenerme de tomar parte en esta disputa; y es que no la entiendo[2].

No obstante el desapego del uno y la petulancia del otro, cada cual, según su genio, fue responsable de la iniciación romántica en Chile. Sin la preparación de ellos, difícil sería explicar la reacción inmediata de la generación del '42 ante el estímulo intelectual de los emigrados argentinos.

José Joaquín de Mora, como político liberal, se había visto obligado a abandonar su patria al reanudarse en 1823 el régimen absolutista de Fernando VII. En Londres conoció a Blanco White (José María Blanco, 1775-1841) y por medio de él, al editor Rodolfo Ackermann, con quien colaboró en unos "catecismos" o textos escolares para la América Hispana sobre las principales ramas de la enseñanza. De sus demás obras, las más significativas fueron sus traducciones al español de *El talismán* y *Ivanhoe*, de Sir Walter Scott. Esta última traducción mereció el elogio de Andrés Bello en su revista *Repertorio Americano*[3].

Mora fue invitado a la Argentina por el presidente Rivadavia. A la caída de éste, tuvo que salir del país. Pasó a Chile y de allí sucesivamente al Perú y a Bolivia. El mismo año de su llegada a Chile, redactó la Constitución de 1828 y fundó *El Constitucional* para defender las ideas liberales de ella. Con la protección del Presidente Pinto, creó el Liceo de Chile y él mismo redactó los libros de texto necesarios. Inició *El Mercurio Chileno* en el cual se publi-

---

versidad de Chile", cit. por NORBERTO PINILLA: *La generación chilena de 1842*, Santiago de Chile, Universidad de Chile, 1942, pág. 41.

[2] JOSÉ JOAQUÍN DE MORA: "Al lector", *Leyendas españolas*, Londres, C. y H. Senior, 1840, pág. xii.

[3] MIGUEL LUIS AMUNÁTEGUI: *Don José Joaquín de Mora*, Santiago de Chile, Imprenta Nacional, 1888, págs. 44-47.

có una traducción del *Ensayo sobre el hombre,* de Alejandro Pope, por José Joaquín de Olmedo. Estableció también un centro literario, la Sociedad de Lectura.

Cuando Mora llegó a Santiago, ya se había iniciado en 1826 una cruzada cultural a cargo del sabio académico francés Charles Lozier, nombrado director del Instituto Nacional. Hasta entonces, los estudios legales y los de gramática latina y filosofía no habían adelantado un paso sobre los que se hacían durante la colonia. Mora introdujo por primera vez las doctrinas de Bentham en el derecho y dejó muy atrás todas las reminiscencias españolas de la enseñanza literaria[4]. Poeta neoclásico, era romántico en su liberalismo ideológico. Su influencia emancipadora fue de corta duración. En 1831, debido a cambios políticos abandonó el país, pero su discípulo, José Victorino Lastarria, llevó a cabo su tarea, difundiendo entre los de la generación del '42 sus ideas liberales en filosofía y política.

Contrastaba con esta figura liberal, la de Andrés Bello. Según Lastarria, Bello era el campeón que los conservadores habían levantado contra la enseñanza del Liceo de Mora, poniéndolo en la dirección del Colegio de Santiago, en 1830. Sus alumnos se consagraron al estudio de los clásicos españoles, siguiendo la preceptiva del helenista José Gómez Hermosilla[5].

En 1834 comenzó a enseñar en su casa dos cursos, uno de gramática y literatura y otro de derecho romano y español. Asistían a sus clases Lastarria, Sanfuentes, Francisco y Carlos Bello y otros. Su tratado sobre la conjugación y muchos de los capítulos de su *Gramática castellana* fueron minuciosamente discutidos en aquellas largas y amenas conferencias[6]. Escribía en aquel tiempo sus lecciones de filosofía siguiendo la escuela escocesa, pero según su discípulo Lastarria, su más severo crítico, esto no le había bastado para elevarse al conocimiento científico del arte literario sino que seguía ligado a las formas.

[4] José Victorino Lastarria: *Recuerdos literarios,* Santiago de Chile, M. Servat, págs. 16-18.　　—

[5] *Ibid.,* págs. 64-65.

[6] *Ibid.,* pág. 66.

Era filósofo, pero como literato, no dejaba nunca de ser retórico, y prescindía de los principios racionales de la ciencia, del conocimiento filosófico de los elementos del arte, y de los diversos géneros de composición, sujetándose constantemente, al tratar de éstos géneros, a las reglas empíricas. Conocía completamente la historia de la literatura española como las otras (literaturas)... pero jamás se llevaba a contemplar las obras según las influencias sociales de las épocas, según los procesos y los principios filosóficos comprobados por los hechos mismos[7].

La influencia de tal magisterio fue inmensa en aquella época, fue casi una dominación... Los maestros novicios se convertían en furiosos puristas, difundiendo entre sus alumnos el mismo prurito. De 1835 a 1842, toda la juventud de Santiago era casuística en en derecho y purista y retórica en letras. El espíritu filosófico atravesaba como una ráfaga de luz la mente de los estudiantes, mientras asistían a los cursos de legislación y de filosofía del Instituto, pero en cuanto ellos pasaban a los cursos superiores y se enrolaban en los círculos elegantes de casuistas y retóricos, aquella luz se apagaba para no renacer[8].

Este gran maestro, juzgado reaccionario en su época por su tendencia hispanizante y clásica, fue uno de los primeros en introducir en la literatura hispanoamericana el tema de la naturaleza americana años antes que los mismos románticos, y fue el primero en Chile en traducir al español un drama romántico de Alejandro Dumas, señalando así el comienzo de la difusión romántica en el país[9]. Estando en Inglaterra, compuso sus dos Silvas americanas, "Alocución a la poesía", 1823, —en donde se expresa ya el deseo de independencia intelectual— y "La agricultura en la zona tórrida", 1826. Apareció cada una en el primer número de las

---

[7] Ibid., pág. 68.
[8] Ibid., págs. 69-70.
[9] DOMINGO AMUNÁTEGUI SOLAR: Las letras chilenas, Santiago de Chile, Nascimiento, 1934, pág. 133.

revistas *Biblioteca Americana* y *Repertorio Americano,* que
inició en colaboración con el colombiano Juan García del
Río (1794-1856). En Chile, el drama romántico que tradujo
—*Teresa*— se presentó en 1839. Desde 1841 en adelante,
Bello comenzó a traducir o a imitar en español los poemas
de Víctor Hugo, siendo lo más elogiado su adaptación de
La oración por todos.

Después de la traducción que hizo Bello para el teatro,
Lastarria adaptó *El proscrito,* de Federico Soulié, en 1840.
Dos años más tarde, se representó el primer drama original
y romántico del teatro chileno, *Los amores del poeta,* de
Carlos Bello. Ese mismo año, el español Rafael Minvielle
dio a la escena otro drama original, *Ernesto,* y tradujo ade-
más *Hernani,* de Víctor Hugo y *Antony,* de Dumas. Juan
Bello también contribuyó al teatro otras traducciones de
Dumas[10].

El gran movimiento cultural de Chile se define en 1842.
En ese año, Manuel Montt, Ministro de Justicia y de Instrucción Pública, crea la Escuela Normal y nombra a Sarmiento director. Establece, además, la Universidad de Chile,
bajo la organización de Andrés Bello. En 1842, se funda la
Sociedad Literaria, dirigida por Lastarria. Los emigrados
argentinos contribuyen al adelanto del periodismo en el
país y en 1842 surgen las célebres polémicas literarias entre
chilenos y emigrados argentinos.

Entre los emigrados que más contribuyeron al movimiento cultural de 1842, se encuentran Sarmiento y Vicente
Fidel López. Ambos se destacaron como educadores y fueron los que mantuvieron las polémicas a favor de la escuela romántica. La nueva generación, según cuenta Lastarria,

> Se sentía estimulada con el roce de la ilustrada y
> bulliciosa emigración argentina. El teatro, las tertulias,
> los paseos cobraban animación, y en todas partes... se
> hablaba de letras, de política, de progresos industria-
> les. Pero en este comercio de francas y cordiales re-
> laciones resaltaba siempre el elegante despojo y la

[10]   *Ibid.*

notable ilustración de los hijos del Plata, causando no pocos celos, que ellos provocaban y excitaban, haciendo notar la estrechez de nuestros conocimientos literarios y el apocado espíritu que los más distinguidos de nuestros jóvenes debían a su rutinaria educación[11].

Sarmiento fue el más pertinaz agitador del espíritu chileno. A mediados de 1841, escribió un análisis elogioso sobre una composición original de Bello, apreciando en la soltura y novedad de la métrica, su desapego a las máximas del clasicismo. Luego observó lo poco que se cultivaba la poesía y el encogimiento y la pereza de espíritu que se notaba entre la juventud chilena[12]. Sarmiento siguió amonestando en otros artículos a la juventud del país. Tocó el orgullo intelectual chileno. Lastarria, amigo y admirador de Sarmiento, quiso estimular a sus compañeros y discípulos "a fin de desmentir la censura con los hechos". Francisco Bilbao (desterrado en 1844 a causa de su tratado *Sociabilidad chilena*), Juan Bello y otros compañeros le ayudaron a promover entre los estudiantes de los últimos cursos de legislación, la formación de una sociedad literaria, "con el objeto de escribir y traducir, de estudiar y conferenciar, para preparar la publicación de un periódico literario que fuese al mismo tiempo un centro de actividad intelectual y un medio de difusión de ideas"[13].

En su discurso inaugural, Lastarria no invocó la escuela romántica como base de imitación, sino que se limitó a ponderar sus principios. Aconseja el estudio de los autores franceses para conocer la nueva filosofía del arte, pero subraya la importancia de la independencia y de la originalidad para la formación de una literatura nacional.

La nacionalidad de una literatura consiste en que tenga una vida propia, en que sea peculiar del pueblo que la posee, conservando fielmente la estampa de su

[11] LASTARRIA: *op. cit.*, págs. 85-86.
[12] Cf. DOMINGO FAUSTINO SARMIENTO: *Obras*, París, Belin Hnos., 1895, I vol., págs. 87-90.
[13] LASTARRIA: *op. cit.*, pág. 85.

carácter, de ese carácter que reproducirá tanto mejor mientras sea más popular[14].

Lastarria no rechaza el patrimonio español. Admira los clásicos y aprecia los autores del siglo XIX. Recomienda como base inicial el estudio de la literatura española. En cuanto a la lengua, la considera una herencia preciosa.

Os aseguro que de ella sacaréis siempre un provecho señalado, si no sois licenciosos para usarla, ni tan rigoristas como los que la defienden tenazmente contra toda innovación, por indispensable y ventajosa que sea[15].

Inestimable patrimonio también es la naturaleza americana:

Tan variada, tan nueva en sus hermosos atavíos, permanece virgen; todavía no ha sido interrogada; aguarda que el genio de sus hijos explote los veneros inagotables de belleza con que le brinda. ¡Qué de recursos ofrecen a vuestra dedicación las necesidades morales y sociales de nuestros pueblos, sus preocupaciones, sus costumbres y sus sentimientos[16].

La conciencia cívica se une al fin literario y el maestro predica:

Escribid para el pueblo, ilustradlo, combatiendo sus vicios y fomentando sus virtudes, recordándole sus hechos heroicos, acostumbrándole a venerar su religión y sus instituciones; así estrecharéis los vínculos que lo ligan, le haréis amar a su patria y lo acostumbraréis a mirar, siempre unida, su libertad y su existencia social. Este es el único camino que deberéis seguir para consumar la grande obra de hacer nuestra literatura nacional, útil y progresiva[17].

En sus memorias, Lastarria recuerda el silencio receloso

14 *Ibid.*, pág. 113.
15 *Ibid.*, pág. 108.
16 *Ibid.*, pág. 114.
17 *Ibid.*, pág. 115.

con que fue acogido su discurso inaugural, hasta que salió elogiado por la revista *El Museo de Ambas Américas*. En realidad, la sociedad intelectual chilena se hallaba dividida en tradicionalistas y progresistas, entre los que seguían a Bello como maestro y los que se sentían atraídos por las nuevas ideas que brindaba el romanticismo y que estimulaban los emigrados. Precisamente, Bello y Sarmiento sostenían una reñida disputa en las páginas de *El Araucano* y de *El Mercurio* sobre la lengua, Bello abogando por el purismo y la tradición, Sarmiento, por el progreso y la espontaneidad.

Como valla a la corriente progresista, funcionaba *El Museo de Ambas Américas*. Dirigía la revista el culto periodista y político colombiano Juan García del Río, antiguo colaborador de Bello en Inglaterra. Era la revista preferida por los tradicionalistas santiaguinos. No obstante, García del Río comentó muy favorablemente la fundación de la Sociedad Literaria. Por otra parte, *La Revista del Paraíso*, fundada por Vicente Fidel López, Juan María Gutiérrez y Juan Bautista Alberdi, también le dio la bienvenida[18].

Sarmiento siguió encauzando sus teorías sobre la lengua, atacando a Bello como retrógrado. Le parecía que la influencia de los gramáticos y el respeto a los modelos tenían paralizada la imaginación de la juventud. Aconsejaba el maestro:

> Pero cambiad de estudios, y en lugar de ocuparos de las formas, de la pureza de las palabras, de lo redondeado de las frases, de lo que dijo Cervantes o fray Luis de León, adquirid ideas de donde quiera que vengan, nutrid vuestro espíritu con las manifestaciones del pensamiento de los luminares de la época; y cuando sintáis que vuestro pensamiento a su vez se despierta, echad miradas observadoras sobre vuestra patria, sobre el pueblo, las costumbres, las instituciones, las necesidades actuales, y en seguida escribid con amor, con corazón, lo que se os alcance, lo que

18 *Ibid.*, pág. 130.

se os antoje, que eso será bueno en el fondo, **aunque**
la forma sea incorrecta; será apasionado, aunque a
veces inexacto; agradará al lector aunque rabie Gar-
cilaso; no se parecerá a lo de nadie; pero bueno o
malo, será vuestro, nadie os lo disputará. Entonces
habrá prosa, habrá poesía, habrá defectos, habrá bellezas. La crítica vendrá a su tiempo y los defectos des-
aparecerán[19].

Sarmiento puso fin a la polémica de la lengua mediante
un artículo suyo compuesto con las palabras textuales de
las opiniones de Larra, que coincidían con todos los puntos
sostenidos por él[20]. Cinco años más tarde, Bello publicó su
Gramática de la lengua española para uso de los americanos.
En el "Prólogo", subrayó la importancia de conservar la
lengua en su posible pureza y preservar así la unidad del
idioma, no en forma estática sino como cuerpo viviente,
admitiendo voces nativas cuando la patrocinara la costumbre uniforme de la gente educada[21].

La segunda polémica surgió con el artículo de Vicente
Fidel López "Clasicismo y romanticismo". Le contestó el
antiguo discípulo de Bello, el poeta Salvador Sanfuentes
(1817-1860) y siguió un intercambio de artículos con López
y Sarmiento de un lado, y del otro, Sanfuentes y el costumbrista José Joaquín Vallejo, *Jotabeche* (1811-1858). La polémica adquirió un carácter nacionalista.

En esta segunda polémica, Sarmiento defiende el romanticismo, no porque se considerase romántico, sino por apre-
ciación a una escuela que había realizado grandes ideales.
Para él, en 1842, ya hacía diez años que la escuela romántica en Europa había sido "enterrada y sepultada" al lado
de su antecesor, el clasicismo[22]. Pero no tolera que la ata-
quen injustamente. El romanticismo, dice:

Representa una grande revolución en la literatura,

[19] SARMIENTO: *op. cit.,* pág. 230.
[20] LASTARRIA: *op. cit.,* pág. 129.
[21] ANDRÉS BELLO: "Prólogo", *Gramática castellana,* **Buenos**
Aires, Editorial G.L.E.M., 1943, págs. viii-ix.
[22] SARMIENTO: *op. cit.,* pág. 295.

un gran sacudimiento de la inteligencia, que tuvo en
sus filas y a su frente nombres respetables, nombres
que brillan todavía como los astros más luminosos del
firmamento de la literatura moderna[23].

Si ha pasado el romanticismo, dice el maestro:

¿Quién le ha sucedido en el lugar que dejó desam-
parado? ¿Quién aspira al menos a sucederle? El *socialismo,* perdónennos la palabra; el socialismo, es
decir, la necesidad de hacer concurrir la ciencia, el arte y la política al único fin de mejorar la suerte de
los pueblos, de favorecer las tendencias liberales, de
combatir las preocupaciones retrógradas, de rehabilitar al pueblo, al mulato y a todos los que sufren[24].

En la perspectiva del tiempo se puede decir que Sarmiento forma parte de la evolución romántica, siempre que
se le ponga a la vanguardia, como progresista. Sarmiento
es el maestro de la época. Aun sus adversarios no pudieron
resistir su influencia y quedaron también aventajados.

Lastarria y los demás miembros de la Sociedad Literaria estaban deseosos de fundar un periódico como órgano
de difusión cultural. Se contaba, entre otros, con la coope-
ración de Francisco Bello. Un día éste los llamó a nombre
de su padre, quien se interesaba por la empresa. Era la primera vez que Andrés Bello se ingería en el movimiento literario como partidario. Les aconsejó no hacer un periódico
exclusivo, sino que aparecieran todos unidos, cuando el
primer deber era vindicar el honor de la nación, demostrando y afirmando un común progreso intelectual. Los progresistas cedieron y se unieron a los tradicionalistas, discípulos de Bello. Los últimos artículos de la polémica venían
ya de *El Semanario,* el nuevo periódico, fundado en julio
del '42[25].

Cuando las últimas polémicas entre *El Mercurio* de Sarmiento y *El Semanario* degeneraban ya en diatribas perso-

---

[23] *Ibid.,* pág. 300.
[24] *Ibid.,* pág. 312.
[25] LASTARRIA: *op. cit.,* pág. 146.

nales, algunos miembros de *El Semanario* decidieron tener una entrevista personal con Sarmiento. Este "supo moderar su ímpetu en presencia de un gran interés como era el de provocar el desarrollo intelectual y dirigirlo, sin los extravíos de la pasión"[26]. Añade Lastarria que *El Semanario* correspondió rehusando publicar más cartas de Vallejo contra Sarmiento. Así terminó el año de las polémicas literarias.

Durante el período romántico en Chile, la novela tuvo escaso desarrollo. En 1860, cuando ALBERTO BLEST GANA (1830-1920) es nombrado catedrático, menciona en su discurso de posesión ante la Facultad de Humanidades la falta de novelistas chilenos. Señala como causa principal de ese fenómeno, el natural desaliento que infundía la idea de luchar con la enorme cantidad de novelas europeas puestas a tan bajo precio en el mercado[27]. Se leían los novelistas franceses, a Dumas y a Hugo con preferencia, al maestro Sir Walter Scott, a Fenimore Cooper, Manzoni y los propios novelistas románticos españoles. Las traducciones de muchas de estas novelas se iban publicando en los diarios de la época. *El Progreso,* de Santiago, fue el primero que introdujo la moda de la novela de folletín a la manera europea[28]. Luego el género folletinesco siguió desarrollándose en manos de autores nacionales, que gastaron su talento en un campo lucrativo, pero de escaso valor literario. Basta observar que los tres autores más importantes de este género, MARTÍN PALMA, RAMÓN PACHECO y LIBORIO BRIEBA, comienzan a escribir de 1869 en adelante, años después que Alberto Blest Gana había escrito ya las novelas de su primera época. En las obras de estos autores folletinescos se advierte, por lo general, un tono propagandista de emancipación social o de vehemencia anticlerical o antiespañola[29].

Las primeras indicaciones de la novela chilena aparecen

[26]   *Ibid.,* pág. 163.

[27]   Discurso de Alberto Blest Gana, cit. por RAÚL SILVA CASTRO: *Alberto Blest Gana,* Santiago de Chile, Imprenta Universitaria, 1941, pág. 116.

[28]   JOSÉ ZAMUDIO: *La novela histórica en Chile,* Santiago de Chile, Flor Nacional, 1949, págs. 21-23.

[29]   JORGE HUNEEUS GANA: *Cuadro histórico de la producción intelectual de Chile,* Santiago de Chile, 1910, págs. 744-745.

en la enumeración que Lastarria hace en sus *Recuerdos literarios* sobre el contenido de la revista *El Crepúsculo*. Esta revista, editada por los miembros de la Sociedad Literaria, traía entre los doce primeros números de 1843 "cuatro novelitas sobre asuntos nacionales"[30]. Lastarria no especifica más, pero una de las cuatro sería su novelita *El mendigo,* cuya publicación corresponde a los datos mencionados. Con ella comienza el autor una serie de cuentos y novelitas, que le acreditan ser el iniciador del género novelesco en Chile.

Hubo otras manifestaciones que forman la bibliografía inicial del género. En 1846, *El Progreso* publicó un folletín en forma epistolar y de corta extensión, *La vida de un amigo, o Un primer amor,* de WENCESLAO VIAL GUZMÁN. Independientemente, se publicó en 1848 una novela de unas cien páginas, de BERNABÉ DE LA BARRA, *Emma y Carlos, o Los dos juramentos.* Se cita como la primera novela chilena. No es de tema nacional. La acción ocurre en París[31].

Las obras novelescas de Lastarria caen en dos períodos, uno romántico y otro realista. *El mendigo,* la primera novelita, es la historia de un buen muchacho del pueblo que pierde todo, víctima de la fatalidad. Su vida, tal como la cuenta, llena de aventuras inesperadas, constituye la trama de una novela condensada. Lo más interesante de la novelita es la descripción de la batalla de Rancagua, en 1814, entre godos y liberales. También de tema nacional es *Rosa,* un cuento de unas páginas sobre una tragedia de amor relacionada a la victoria de Chacabuco. Salió en *El Progreso,* 1847. Al año siguiente, en *El Aguinaldo,* se publicó *El alférez Alonso Díaz de Guzmán,* un episodio ficticio en la vida de la monja alférez. El interés del relato se basa únicamente en el enredo mecánico de la trama por los equívocos de doble identidad.

A las novelitas del primer período siguen dos obras de fondo satírico, *Peregrinación de una vinchuca,* publicada en *El Correo Literario,* 1858, y *Don Guillermo.* La primera es un cuento humorístico y fantástico. Se desarrolla en el

---

[30] LASTARRIA: *op. cit.,* pág. 270.
[31] SILVA CASTRO: *op. cit.,* pág. 340.

infierno de Dante, donde los demonios vienen a dar cuenta del estado de la sociedad y de la política del día. Se advierte en el relato el estilo del costumbrista pulido, formado ya en sus ensayos satíricos *El manuscrito del diablo,* cuyo número inicial apareció en la *Revista de Santiago,* en 1849. *Don Guillermo* se publicó en *La Semana,* en 1860. Es una obra de mayor extensión, en forma novelada e igualmente fantástica. En ella satiriza Lastarria todo lo que va contra sus ideas liberales en la organización social y política de la época.

La siguiente novelita, *El diario de una loca,* pertenece a la segunda época estilística de Lastarria. Se publicó en *La Revista Chilena,* en 1875. El tema es tal como lo indica el título. Habla la paciente, tratando desesperadamente de recordar su pasado. Por sugerencia del médico, va llenando un diario. A medida que se le va abriendo el pasado, penetramos en la historia trágica de su vida. En ese mismo año y en la misma revista se publicó *Mercedes,* la mejor novelita de Lastarria. Tiene el sabor y la gracia de una obra costumbrista, con un sencillo desenlace realista. Recuerda un episodio de amor en la vida de un estudiante, con detalles de la vida santiaguina de 1830. Le sigue *Una hija,* una anécdota dialogada, que capta el conflicto emocional de unos jóvenes peruanos cuando se enteran, al regresar ya mayores a su patria, que su madre es una antigua esclava negra. La última novelita se publicó independientemente en 1884, con el título *Estudio de caracteres. Salvad las apariencias.* Tiene un prefacio en el cual el autor alude a los escritores que, con el pretexto de copiar la naturaleza, pintan la realidad con chocante crudeza, sin reparar en la debida realidad literaria. Aquí Lastarria esquiva los detalles crudos a que podría llevarle el tema. En el desenlace final queda burlado el seductor.

Lastarria, romántico primero, pasa por una etapa costumbrista y termina escribiendo en prosa realista. Su producción del segundo período fue incidental al desarrollo de la novela, pues ya se había impuesto Alberto Blest Gana. No obstante, la influencia literaria de Lastarria perduró más allá del romanticismo. Aún en 1873 promovía por cuarta vez la fundación de un centro literario, la Academia de Bellas Letras.

Hubo en Chile un novelista romántico cabal y éste fue MANUEL BILBAO (1827-1895), hermano del mencionado Francisco Bilbao. Por circunstancias políticas tuvo también que salir del país. En 1852, publicó en Lima *El Inquisidor Mayor, o El Gran Inquisidor.* Se agotó una segunda edición y en 1859 se hizo una tercera. En Buenos Aires salió aún una cuarta edición con dos novelas más, *Los dos hermanos* y *El pirata del Huayas.* Esta última se había publicado ya en Valparaíso en 1865.

El Inquisidor Mayor es una novela histórica folletinesca de índole sensacionalista. El autor expone sus teorías filosóficas en extensos diálogos en los que un joven francés ilustrado, reo de la Inquisición, defiende el racionalismo y los derechos naturales del hombre. *El Inquisidor Mayor* recuerda la novela de Vicente Fidel López *La novia del hereje,* escrita poco antes. La de López evoca el período colonial del siglo XVI y la de Bilbao se refiere al siglo XVIII. No tiene comparación con el mejor gusto literario de la del emigrado argentino y gana más éste con su crítica velada y su ligero buen humor, que aquél con su vehemencia ciega.

El relato queda interrumpido al final de la novela y continúa en *Los dos hermanos.* Agotada la virulencia del autor en la obra anterior, la trama en ésta tiene mayor independencia. Se describe la vida colonial en Santiago y aparecen el *huaso* y el *roto.*

El pirata del Huayas, escrita en Lima en 1855, es también una novela de tesis, esta vez sobre el código penal. Es de época contemporánea al autor. Comienza con una descripción romántica de la naturaleza a lo largo del puerto de Guayaquil, con detalles realistas sobre la ciudad del puerto. El héroe es un muchacho del pueblo que se lleva a su novia secretamente cuando la madre de él se opone al matrimonio sin dar razones. Lo toman preso. Se escapa. Roba para huir con su novia. Cae preso de nuevo. Se escapa y al tercer incidente lo mandan a las islas Galápagos. Allí concierta fugarse con siete bandidos. Se apoderan de un barco ballenero americano y como piratas atacan por casualidad a dos barcos que pertenecen a la vanguardia del general Flores, contra quien se había rebelado el gobierno local de Guayaquil (1845). De nada le vale su hazaña. Se descubre su identidad y al segundo día de libertad cae en manos de la justica. Esta vez es condenado a muerte. Antes de morir pide ver a su familia. Su madre le revela entonces que su novia es su media hermana. La novela termina con una disertación dialogada entre un artista francés ilustrado y un joven abogado. El francés condena la pena de muerte y señala la obligación de la sociedad de rehabilitar al delincuente.

Con la figura de ALBERTO BLEST GANA cambia el curso de la novela en Chile hacia 1860. De muchacho, Blest Gana se había familiarizado con las obras de Sir Walter Scott en las lecturas de familia que precedía su padre, médico irlandés. A los diecisiete años fue enviado a Francia (1847-1852) para terminar sus estudios militares. Allí descubrió al maestro Balzac. Más tarde, en 1864, recordando sus años de estudiante, había de escribir a su amigo Benjamín Vicuña Mackenna: "desde un día en que leyendo a Balzac hice un auto de fe en mi chimenea, condenando a las llamas las impresiones rimadas de mi adolescencia, juré ser novelista, y abandonar el campo literario si las fuerzas no me alcanzaban para hacer algo que no fuesen triviales y pasajeras composiciones"[32].

El anhelado ideal de Lastarria y del grupo de jóvenes románticos de la Sociedad Literaria había sido la creación de una literatura nacional, genuinamente chilena. En 1860, la Universidad decidió promover un certamen literario para ayudar a la formación de la novela nacional. Los jueces fueron José Victorino Lastarria y Miguel Luis Amunátegui. Se le concedió el primer premio a Alberto Blest Gana por su novela *La aritmética en el amor*. El jurado aclamó con entusiasmo la chilenidad de la obra: "Toda la novela se halla animada de un gran número de cuadros de costum-

[32] SILVA CASTRO: *Alberto Blest Gana*, pág. 121.

bres nacionales llenos de colorido y de verdad, y ciertamente nada inferiores a los tan justamente aplaudidos del Larra chileno, el espiritual *Jotabeche*. El gran mérito de esta composición es el ser completamente chilena. Los diversos lances de la fábula son sucesos que pasan efectivamente entre nosotros. Hemos presenciado, o hemos oído cosas análogas. Los personajes son chilenos y se parecen mucho a las personas a quienes conocemos, a quienes estrechamos la mano, con quien conversamos[33].

De esa fecha en adelante se encauza el estilo realista en la novela chilena. Afirma Blest Gana: "Desde que escribí *La aritmética,* es decir, desde que escribí la primera novela a la que doy el carácter de literatura chilena, he tenido por principio copiar los accidentes de la vida en cuanto el arte lo permite"[34].

La novela romántica, aunque relegada a un plano artístico secundario, no perdió su popularidad. Continuaron los folletines románticos y algunas obras sentimentales. El poeta GUILLERMO BLEST GANA (1829-1905), hermano del novelista, compuso en 1869 dos novelitas, *El número trece* y *Dos tumbas*. El historiador BENJAMÍN VICUÑA MACKENNA (1831-1886) escribió *Predestinación, A. E. en una noche de baile,* publicada en la *Revista del Pacífico,* en 1861. Muy popular fue su historia *Los Lisperguer y la Quintrala,* 1877, "la Lucrecia Borgia de Chile", obra de investigación genealógica, animada por la imaginación novelesca romántica del autor y sus observaciones personales. La novela indianista tuvo su última expresión en *Huincahual. Narración araucana,* 1888, de ALBERTO DEL SOLAR (1860-1920). Las mejores obras fueron las de tendencia realista. Se destacaron como discípulo de Alberto Blest Gana hacia la década del '80, DANIEL BARROS GREZ, especialmente con *Pipiolos y Pelucones,* 1876, y VICENTE GREZ, con *Emilia Reynols,* 1883.

---

[33] *Ibid.,* pág. 114.
[34] *Ibid.,* pág. 558.

VIII

BOLIVIA

Bolivia, como Chile y el Uruguay, fue también refugio de los románticos argentinos. La vida allí no resultó tan lucida. El núcleo de los proscritos fue notable, aun contando con escritores de nombre, pero no llegó a alcanzar la fama del de Santiago o Montevideo. En realidad hubo dos grandes emigraciones liberales argentinas. La primera ocurrió hacia 1829, después de la caída de Rivadavia y a consecuencia de las invasiones del caudillo Facundo en Tucumán, Catamarca y Salta. La otra, en 1840, después de la derrota de Lavalle y del fracaso de la Liga del Norte contra la tiranía de Rosas. La primera fue parte de la emigración de los unitarios. La segunda corresponde a la emigración de los románticos, paralela a la que ocurría en la Plata al fracasar la Revolución del Sur y dispersarse los miembros de la Asociación de Mayo. Entre los patriotas que transportaron los restos de Lavalle hasta Potosí, se hallaban los jóvenes escritores Félix Frías, Benjamín Villafañe y Pedro Echagüe[35].

Casi todos los emigrados en Bolivia ejercieron el periodismo y la enseñanza, aunque no hay indicios de que contribuyesen a la formación de una escuela literaria. La primera novela publicada en Bolivia que se conozca se debe al insigne patriota argentino, BARTOLOMÉ MITRE. Fue *Soledad*, escrita en La Paz en 1847, cuando se hallaba Mitre proscrito en el país y al servicio del gobierno boliviano. Apareció como folletín en *La Epoca*, dirigido por Mitre, primera publicación diaria que se imprimió en Bolivia[36]. Las palabras alentadoras de su prólogo, en el que subraya la importancia de crear una novelística histórica para mayor conciencia nacional, quedaron, al parecer, totalmente olvidadas. La obra,

[35]   RICARDO ROJAS: *Obras*, Buenos Aires, La Facultad, 1925, vol. XIII, págs. 607-614.
[36]   ENRIQUE FINOT: *Historia de la literatura boliviana*, México, Porrúa, 1943, pág. 184.

un tanto aislada en la historia de la novela boliviana, queda incluida en el estudio de la novela argentina. Lo mismo se ha hecho con las obras de Pedro Echagüe. Entre los novelistas bolivianos se suele citar, además, otro nombre argentino, el de Juana Manuela Gorriti. Sus obras se mencionan igualmente en la historia de la novela romántica argentina. La primera novela de autor boliviano no aparece hasta 1861. Por su título, *Los misterios de Sucre,* es evidentemente una imitación de la obra de Eugenio Sue, *Los misterios de París.* Escrita por Sebastián Dalenze, se conoce solamente una publicación fragmentaria de esta obra, que constaba de cuatro partes, con un total de noventa y seis capítulos. Su valor literario, que se puede apreciar aún en el folleto existente, es escaso, pero como curiosidad bibliográfica representa el primer intento en su género por escritor nacional[37].

La isla, de Manuel María Caballero, y *El Templa y la Zafra,* de Felipe Reyes Ortiz, entran también entre los primeros ensayos de la novela boliviana[38]. Son dos novelistas que datan de 1864. *La isla* tiene mayor mérito que el folleto de Reyes Ortiz, basado en un proceso judicial sobre un crimen pasional. *La isla* apareció por primera vez en la revista *La Aurora Literaria,* de Sucre, y luego, en la *Revista Chilena,* de Santiago, en 1866. Ultimamente, se publicó de nuevo en la revista *Kollasuyo,* la Paz, 1941. Es un cuento de amor, con alguna precisión de ambiente local. Termina con el suicidio de la joven protagonista.

En 1867 aparece en Lima la obra de un novelista boliviano, Ricardo Terrazas (m. 1878). Se titula *Misterios del corazón.* Otra novela suya, *Recuerdos de una prisión,* se publicó póstumamente en Cochabamba, en 1899. Terrazas se educó en París y vivió en Lima. *Misterios del corazón* recuerda las novelas de Dumas y las viejas crónicas limeñas. Cuenta la pasión de una virreina del Perú por un joven granadino a quien luego hace encerrar en un calabozo para borrar su propia liviandad. Después de veinte años, el in-

---

[37]   Augusto Guzmán: *Historia de la novela boliviana,* La Paz, Revista México, 1938, págs. 19-30.
[38]   *Ibid.,* págs. 63-77.

feliz logra su libertad por intervención de un amigo y se hace religioso. Algún tiempo después, en Madrid, recibe una llamada para socorrer a una moribunda. El monje reconoce en ella a la virreina. *Recuerdos de una prisión* tiene igualmente un fin melodramático. Al saber la protagonista que su amante está condenado a muerte a causa de un enredo político, abandona a su marido y ofrece tomar el puesto de otro cómplice en el patíbulo.

Merece mencionarse también de paso, la novela de JOAQUÍN LEMOINE (1857-1924), *El mulato Plácido*. Fue escrita a los dieciocho años, "fruto de dos veladas veraniegas". Se publicó en Santiago de Chile en 1875. La trama sentimental es invención del autor y nada tiene que ver con la vida real del protagonista, Gabriel de la Concepción Valdés, poeta romántico cubano, fusilado por cómplice de una conspiración en 1844.

La novela boliviana adquiere mayor importancia con SANTIAGO VACA GUZMÁN (1846-1896), activo polígrafo y economista. No hay por qué detenerse en su primer ensayo, *Ayes de corazón*, escrito a los veinte años. El mismo autor dejó de incluirla en su historia de la literatura boliviana. Las tres novelas conocidas de Vaca Guzmán se publicaron en Buenos Aires, donde residió el autor largos años. La primera fue *Días amargos, páginas del libro de memorias de un pesimista*, 1886. Recibió muy buena acogida. Según la noticia bibliográfica que precede su última edición, fue escrita a instancias de la directiva de la *Revista de Buenos Aires* con objeto de salvar a la revista de la indiferencia con que la acogía el público. En pocos días presentó el autor la primera parte de una novela que tenía ideada como obra psicológica acerca de la neurosis del suicidio. El resto lo escribió también, según las entregas, al correr de la pluma. Al año siguiente se hizo una segunda edición, agotada en pocos días, y en 1891, aun una tercera. Lleva dos prólogos encomiásticos, uno de ellos de Juana Manuela Gorriti.

No obstante, *Días amargos* es de pobre estilo. Su historia no contiene análisis psicológico alguno. Es simplemente una serie de hechos forzados y melodramáticos que condu-

cen al protagonista al suicidio. Defiende éste, como abogado, los intereses de una señora de toda integridad, madre
de dos niñas, contra los abusos de su marido. De un pleito
confuso sale él acusado; su cliente calumniada, destituida
de sus bienes y separada de sus hijas. La mayor de ellas,
de quien se había enamorado el joven abogado, queda forzada a contraer matrimonio contra su voluntad. El joven,
atormentado además por disgustos de familia, se suicida.

De tono festivo es *Su Excelencia y Su Ilustrísima,* escrita con esmero en prosa cervantina. Se publicó en 1889.
Vaca Guzmán expone en su novela un tema de época colonial hacia 1570. Se complació en darle el subtítulo de *Una
historia verdadera con muchas trazas de novela.* El argumento se basa en la enemistad que surge entre el Gobernador de Asunción, Paraguay, y el Obispo de dicha villa por
causa de una hermosa y devota viuda a quien protege el
Obispo de las mañas del Gobernador. La acción, un poco
lenta, se embrolla con las supuestas rencillas políticas y sociales de la época.

La última novela de Vaca Guzmán se titula *Sin esperanza,* publicada en 1891. Es una obra de desenlace violento
en un cuadro de conflictos psicológicos. Un cura de aldea
trata de ayudar a una joven tiranizada por su marido. Para
salvarla de las maquinaciones de éste, el párroco y un amigo de la familia de la joven conciertan el plan de llevarla a
la ciudad vecina. El cura debía reunirse con ellos en el camino. Cuando los alcanza, encuentra que el marido se ha
vengado, dando muerte a los dos.

Las tres novelas conocidas de Vaca Guzmán fueron escritas en Buenos Aires cuando ya la novela argentina había
pasado decididamente al realismo y quedaba sólo alguna
obra romántica rezagada. *Sin esperanza* tiene un ambiente
romántico. Enrique Finot señala en su historia de la literatura boliviana que el conflicto moral de los protagonistas
sugiere la influencia de Lamartine con su poema novelado
Jocelyn, aunque la obra es enteramente distinta. El cuadro
de *Su Excelencia y Su Ilustrísima* recordando las crónicas
virreinales es romántico. *Días amargos* tiene la forma típi-

camente romántica de un relato de confesión tomado de las páginas de un diario personal. Sin embargo, en esta novela, la primera del grupo (1886), se nota ya la tendencia realista en la prosa, en la intención del tema psicológico y en el tipo común del protagonista.

Hasta este punto en la historia de la novela romántica boliviana, se observa que los novelistas nunca se inspiraron plenamente en asuntos nacionales. A NATANIEL AGUIRRE (1843-1888), distinguido patriota y estadista, le cabe el mérito de haber creado la primera novela histórica nacional. Todos los críticos coinciden en afirmar que su obra, *Juan de la Rosa,* es la mejor novela boliviana del siglo XIX. Elogio merecido es el de señalarla, además, como una de las buenas novelas románticas hispanoamericanas. Aparece en 1885.

La novela no fue apreciada sino después que la prensa argentina y la española le dieran su justo valor[39]. Salió por primera vez en *El Heraldo* de Cochabamba, por entregas y sin nombre del autor. Tuvo una segunda edición en 1909 y otra en 1943 al celebrarse el centenario de Nataniel Aguirre. Hoy día, los bolivianos, "desde el hombre culto al campesino que comienza a ser letrado, tienen como clásica reliquia el mencionado libro"[40]. Nataniel Aguirre fue también dramaturgo y poeta y escribió dos leyendas conocidas, *La bellísima Floriana* y *La Quintañona.*

Juan de la Rosa está escrito en forma autobiográfica. Lleva el subtítulo de *Memorias del último soldado de la independencia.* El protagonista aparece como un niño de unos diez años. Suscita la misma simpatía que un pequeño héroe de Dickens. No está seguro de quiénes son sus pádres. Hay un misterio que él, como niño, no se atreve a descubrir. Al morir su supuesta madre, Rosa, "la linda encajera", su destino es ser "el botado" en casa de una viuda rica que se ve obligada a recogerlo. Afortunadamente, tiene

        [39] EDUARDO VISCARRA: "Prólogo", *Juan de la Rosa,* Nataniel Aguirre, Cochabamba, Bolivia, Editorial América, 1943, págs. 12-13.
        [40] PORFIRIO DÍAZ MICHACAO: *Nataniel Aguirre,* Buenos Aires, Perlado, 1945, pág. 291.

a fray Justo, hermano de la viuda, como protector y tutor.
El interés de la trama novelesca y los sucesos históricos
están hábilmente enlazados en la obra. Por medio del pequeño protagonista vamos participando en el drama de la independencia con la gente humilde y patriota del pueblo. Se
suceden los combates de Aroma, Huaqui y Amiraya. Por
último, presenciamos la heroica resistencia que ofrecieron
los propios habitantes de Oropesa de Cochabamba, mujeres, ancianos y niños, a las fuerzas del general Goyeneche,
en las afueras de la ciudad.

En una de las terribles escenas ocasionadas por la solda-
desca invasora, muere fray Justo, el benévolo protector de
Juanito. Por unos documentos que le deja, se entera el niño del triste y melancólico relato de sus padres. Juanito toma la resolución de escaparse. Antes de abandonar la región, pasa por la casa de campo donde estaba su padre,
hermano de fray Justo. Había enloquecido aquél desde joven
al habérsele negado la mano de Rosa, la linda huérfana. Su
padre acaba de morir. Juan de la Rosa sigue su camino y
así termina la primera parte de su historia. Aquí interviene
el viejo soldado para invitarnos a seguir en otra ocasión la
lectura de su biografía.

La novela, efectivamente, había de continuar con una
segunda parte. Nataniel Aguirre había expresado el propósito de escribir toda la epopeya de los quince años de la
emancipación nacional. Su obra constaría de cuatro volúmenes: *Cochabamba, Los porteños, Apopaya* y *Los colom-
bianos*. Quedó concluida sólo la primera parte, que es *Juan
de la Rosa. Memorias de un soldado de la independencia*[41].
De *Los porteños* sabemos que existe una introducción[42],
escrita en el mismo estilo familiar que empleó Nataniel
Aguirre en el prólogo a la primera parte.

Juan de la Rosa es una novela de ambiente romántico,
escrita en una prosa de transición al realismo. Crea ese ambiente, el misterio que rodea al pequeño héroe hasta que se

[41] Carlos G. Tobarga: "Su vida y la obra de Nataniel Aguirre", *Kovasullo*, 1944, año 6, n.º 54, pág. 206.
[42] Cf. Díaz Michacao: *op. cit.*, págs. 294-96.

le revela, al final, la historia melancólica de sus padres. Dentro del estilo romántico, la novela tiene pequeños toques de prosa costumbrista, tales como la graciosa descripción de Rosita, la encajera, y alguno que otro cuadro de la vida campestre en el valle de Cochabamba. Contiene, además, abundante número de vocablos quéchuas, característica regional que nace con el nativismo romántico y continúa en Bolivia en la novela indigenista postmodernista. La prosa de *Juan de la Rosa* es llana, ya casi realista, que indica un período romántico próximo a liquidarse. Veamos la ilustración de un cuadro descriptivo:

> Los hermosos campos que cruzábamos, aunque agostados, bajo frondosos árboles siempre verdes, como los sauces, molles, naranjos y limoneros que bordaban el camino, distraían mi vista con los cuadros risueños y animados que le ofrecían por todos los lados. Tropas de mujeres y niños pelaban el maíz o recogían el trigo en gavillas; reían alegremente; de vez en cuando sonaban ruidosas carcajadas, y más de una vez llegó distintamente a mis oídos el grito de ¡viva la patria! En los rastrojos pastaban numerosos rebaños. Recuas de asnos, con grandes costales, de cuyas bocas, no bien cerradas por la redecilla de lana, se escapaban las mazorcas más pequeñas, cruzaban en todas direcciones. Sus conductores, enormes y esbeltos hijos del valle, iban por detrás, con el grueso rebenque llamado *verdugo* en la mano; silbaban, daban gritos para animar a las fatigadas acémilas; algunos tenían adornados los sombreros o montoneras de flores amarillas del *sunchu*; no pocos llevaban colgado del cuello a las espaldas, el *charango* con que distraían sus momentos de descanso, a la hora de la *sama* o de la comida[43].

Antes de concluir la historia de la novela romántica en Bolivia, merece mencionarse una obra corta, de transición, que interesa por su tema nativista. Se trata de *Huallparri-*

---

[43] AGUIRRE: *Juan de la Rosa*, págs. 132-33.

machi, 1894, de LINDAURA ANZOÁTEGUI DE CAMPERO (1846-1898)[44]. Esposa del presidente Narciso Campero, se dio a conocer en las letras con el pseudónimo *El Novel.* Escribió novelitas, leyendas y artículos de costumbres. En un estilo ponderado por su sencillez, la autora relata en *Huallparrimachi,* una historia trágica de amor, relacionada con un episodio de los últimos tiempos de la guerra de independencia. *Huallparrimachi,* como *Juan de la Rosa,* lleva el último sello de inspiración romántica. Conduce, en la evolución de la novela boliviana, a la novela indigenista postmodernista, que descuella en 1919 con Alcides Arguedas en *Raza de bronce.*

---

[44] *Cf.* GUZMÁN: *op. cit.,* págs. 97-101.

IX

PERU

La historia de la iniciación romántica en el Perú ha quedado bosquejada por RICARDO PALMA (1833-1919) en sus memorias, *La bohemia de mi tiempo.* De 1848 a 1860 se desarrolló en el Perú lo que Palma describe como una pasión febril por la literatura. Al largo y azaroso período de organización nacional, sucedió una era de relativas garantías y estabilidad social. A esa época correspondió el desarrollo del movimiento romántico literario.

La generación romántica se formó bajo la tutela e influencia de dos españoles y recibió el estímulo intelectual de emigrados políticos de casi todas las naciones sudamericanas. El tutor de la nueva generación fue el español Sebastián Lorente, que se distinguió como profesor e historiador. Llegó de joven a Lima en 1842, invitado por el gobierno peruano. Desempeñó el cargo de rector del Colegio Nacional de Guadalupe, donde enseñó historia y literatura. Más tarde, pasó a ser decano de la Facultad de Letras en la Universidad de San Marcos. Según Ricardo Palma, era un innovador de gran talento. En la lucha con los rutinarios, la victoria fue suya. La nueva generación lo escuchaba y lo seguía como a un apóstol.

Los revolucionarios de la bohemia estudiantil aclamaron con entusiasmo el romanticismo literario europeo. Saboreando esa época pasada, cuenta Ricardo Palma:

> Nosotros, los de la nueva generación, arrastrados por lo novedoso del libérrimo romanticismo... desdeñábamos todo lo que a clasicismo tiránico apestara, y nos dábamos un hartazgo de Hugo y Byron, Espronceda, García Tassara y Enrique Gil[45].

De sus compañeros, dice:

> Márquez se sabía de coro a Lamartine; Corpan-

[45] RICARDO PALMA: *La bohemia de mi tiempo,* Lima, La Industria, 1899, pág. 5.

cho no equivocaba letra de Zorrilla; para Adolfo García, más allá de Arolas no había poeta; Llona se entusiasmaba con Leopardi; Fernández, hasta en sueños, recitaba las doloras de Campoamor; y así cada cual tenía su vate predilecto entre los de la pléyade revolucionaria del mundo viejo. De mí, añade, recuerdo que hablarme del *Macías* de Larra o de las *Capilladas* de Fray Gerundio, era darme por la vena del gusto[46].

Los estudiantes románticos tuvieron su periódico semanal llamado *El Diablo*. Aunque no gozó de larga vida, fue arma implacable contra los hijastros de Apolo que suscitaran la displicencia de los jóvenes literatos[47].

Capitaneaba la bohemia estudiantil, el poeta español Fernando Velarde. Oriundo de Santander, había vivido en Cuba. Llegó a Lima, a los veinticuatro años, en 1847. Durante sus ocho años de estadía en la capital, ejerció tan poderosa influencia entre los estudiantes del "48", como el nombrado José Joaquín de Mora sobre la generación anterior[48]. Para los románticos no era poeta discutible, sino un poeta que se imponía. Lo admiraban "porque sí". Razón magna, como dice Palma, contra la cual se estrella toda crítica[49].

Velarde publicó un semanario muy popular, *El Talismán,* que tuvo dos años de existencia[50]. Luego, el tradicionalista José Antonio Lavalle y Toribio Pacheco, publicista arequipeño, fundaron *La Revista de Lima,* publicación quincenal, que como el antiguo *Mercurio Peruano,* fue iniciadora del gran movimiento intelectual que se desarrolló en el país[51].

Muchos emigrados románticos vinieron a Lima, donde residieron por un tiempo y contribuyeron con sus escritos al movimiento intelectual de la época. A mediados de siglo

---

[46] *Ibid.*
[47] *Ibid.*, pág. 33.
[48] JOSÉ DE LA RIVA AGÜERO: *Carácter de la literatura del Perú independiente,* Lima, Galland, 1905, pág. 85.
[49] Palma, *op. cit.,* pág. 6.
[50] *Ibid.,* pág. 7.
[51] *Ibid.,* pág. 40.

llegaron a Chile, Manuel Bilbao y su hermano Francisco Bilbao, José Victorino Lastarria y luego, Benjamín Vicuña Mackenna. Participaron directamente en el movimiento literario nacional, la escritora argentina Juana Manuela Gorriti, los costumbristas vonezolanos Juan Vicente y Simón Camacho, el costumbrista ecuatoriano Nicolás Augusto González y el poeta ecuatoriano Numo Pompilio Llona.

JUANA MANUELA GORRITI se estableció en Lima en 1845, Permaneció en la capital unos treinta años, hasta regresar a su país natal. Los literatos la trataban con la misma llaneza que a un compañero y su casa era para ellos un centro de reunión[52]. Prosistas y poetas distinguidos formaron parte de sus tertulias y leyeron allí sus producciones. Ella las conservó y llegó a editar en 1892, un volumen titulado *Veladas literarias de Lima, 1876-1877.*

Los estudiantes de la iniciación romántica tuvieron desde un principio sus propias veladas. Se reunían por las noches con frecuencia en casa del magistrado Miguel del Carpio, el mecenas de la bohemia. Era aficionado a las musas y tenía su casa, su mesa y sus libros a la disposición de los jóvenes poetas. Cuando llegó a ser Ministro de Estado, favoreció a muchos de ellos con puestos en el gobierno[53]. Fuera de la casa de este magnánimo protector, los estudiantes no tuvieron otro círculo literario de 1846 a 1850 que el de la librería de Pérez, español locuaz y chistoso. Desde las cinco de la tarde invadían su establecimiento los "literatazos" de la bohemia. La llamaban la librería de Cuatro Ojos, aludiendo a los espejuelos de su dueño. En aquel "areópago", recuerda Palma, se politiqueaba que era un primor y se hablaba de literatura y teatro[54].

En plena ebullición romántica —poco después que el estudiante Llona escandalizara la recatada sociedad limeña con unos versos— apareció en el folletín de *El Comercio* una novelita que causó bastante ruido por su atrevida historia. Era la leyenda de Juana Manuela Gorriti, *La quena,*

---

[52] *Ibid.,* pág. 14.
[53] *Ibid.*
[54] *Ibid.,* págs. 58-59.

escrita en tenebroso estilo romántico[55]. A pesar del galante elogio que le hace años más tarde Ricardo Palma, *La quena* merece recordarse más bien por ser la primera obra romántica en el género novelesco que se conoce en el Perú. Data de 1846. Palma empleó la misma tradición popular para su *Manchaypuitu*[56].

En 1848, *El Comercio* publicó por entregas lo que llegó a ser una extensa novela, *El padre Horán*. La escribía un joven de veintidós años, NARCISO ARÉSTEGUI (1826-1869). Estaba basada sobre un suceso sensacional ocurrido algunos años atrás. Contaba Aréstegui sólo diez años cuando empezó a circular por la ciudad de Cuzco el relato de un lamentable asesinato. Recordando el caso, compuso su novela *El padre Horán*. *Escena de la vida en Cuzco*. CLORINDA MATTO DE TURNER, cuatro décadas más tarde, había de aprovechar el mismo tema para su novela *Aves sin nido*.

Palma menciona a Aréstegui en sus memorias como uno de los muchachos de la bohemia estudiantil, Aréstegui era aficionado a la lectura de Zorrilla y Bécquer, así como del novelista Eugenio Sue. Se había recibido de abogado y desempeñaba el cargo de profesor de literatura en el Colegio de Ciencias de Cuzco, cuando estalló la guerra con Bolivia en 1854. Entró en el ejército, siguió la carrera militar y llegó a ser coronel[57].

Su novela tiene buenos pasajes descriptivos de la sierra y los campos en los alrededores de Cuzco. Se nota en ella una marcada preocupación social por los indios cuzqueños. Es un principio de reivindicación social indigenista. En general, el ambiente de la novela es morboso y su estilo, folletinesco.

Aréstegui, de joven, compuso también un drama en prosa, *La venganza de un marido,* que obtuvo mediano éxito[58]. Escribió aún dos novelas breves, *El ángel salvador, leyenda*

[55] *Ibid.,* págs. 12-13.
[56] RIVA AGÜERO: *op. cit.,* pág. 173.
[57] JUAN DE ARONA: "Prólogo", *El ángel salvador,* de Narciso Aréstegui, Lima, La Patria, 1872, pág. vii.
[58] PALMA: *op. cit.,* pág. 25.

histórica, insulso relato sentimental contemporáneo, y *Faustina,* publicadas póstumamente en 1872.

Debido al desabrido tono folletinesco de Aréstegui, se le suele pasar por alto en la historia de la literatura peruana para citar a Luis Benjamín Cisneros (1837-1904) como padre de la novela romántica. Luis Benjamín Cisneros fue poeta, escribió para el teatro y como prosista es autor de dos novelas cortas y dos cuentos sentimentales. Mereció el honor de ser coronado poeta nacional y designado por la Academia Española, miembro correspondiente.

Cisneros escribió sus dos novelas con la plena conciencia de alguien que lanza un género literario apenas ensayado en su país. Las escribió en París. *Julia, o Escenas de la vida en Lima,* en 1860, y *Edgardo, o Un joven de mi generación,* en 1864. Se expresó en el prólogo de *Julia* con estas palabras: "He escrito este libro por tres motivos. Por llevar un pensamiento moral. Por contribuir a que más tarde cualquiera otro, mejor dotado que yo por la Providencia, inicie en el país este género de literatura. Por manifestar que la vida actual de nuestra sociedad no carece absolutamente de poesía, como lo pretenden algunos espíritus"[59]. Nadie hasta entonces, según Cisneros, había estudiado la faz bella, elevada y poética de las costumbres del país.

Julia es una novela sentimental. Andrés se enamora de una joven limeña que antes veía salir y entrar de colegiala en la casa vecina a la suya. La conoce ahora en una fiesta y recibe de ella la consabida flor que guarda entre las páginas de su Lamartine. Se interpone en el idilio una señora que pretende figurar en la sociedad limeña. Bajo su influencia, la cándida Julia se siente atraída por la vida mundana y se llega a casar con un joven calavera de la sociedad. Este se entrega totalmente al juego, acaba por arruinarse y abandona por último a su familia. Después de varios años de vicisitudes, Julia, ya viuda, se casa con Andrés.

Julia, según indica Cisneros, no era culpable de su desgracia, sino la sociedad. El amor de miserables vanidades

---

[59] Luis Benjamín Cisneros: *Obras completas,* Lima, Gil, 1939, II vol., pág. 83.

había ofuscado su espíritu, así como luego había causado la ruina de su esposo. Tres crímenes sociales, dice Cisneros, mantienen el lujo en la sociedad: el contrabando, la usura y el juego. Deplora el autor esta pasión por la "exterioridad" material y señala toda la dulzura y los encantos de una vida sencilla de afecciones espirituales en la tranquilidad del hogar.

Edgardo, o Un joven de mi generación es igualmente novela sentimental, pero de fondo histórico. En ella se exalta el ideal patriótico de un joven que sólo sueña con el porvenir de su patria. Viene a Lima de oficial y se enamora de una humilde muchacha del pueblo con la que por último se casa, restituyendo así el honor de la familia. Edgardo había ampliado su educación por sus propios esfuerzos. En sus viajes por su tierra, había observado y compadecido la pobreza de la raza indígena. Asciende en su carrera. Se siente destinado a ser el héroe y regenerador del Perú. Mas cae mortalmente herido en un encuentro en la revolución del "55". En esta pequeña novela, Luis Benjamín Cisneros se lamenta del estado del país, agitado por más de cuarenta años de guerras fratricidas.

Apenas podríamos entusiasmarnos hoy con las novelas de Luis Benjamín Cisneros. Empalagan por su sentimentalismo y son excesivamente moralizadoras. Pero consideradas en relación a su época y a su posición cronológica en la historia de la novela peruana, adquieren importancia. *Julia,* la más acabada de las dos, fue muy popular, como queda demostrado en frecuentes referencias contemporáneas y en la edición en folletín que de ella se hizo en Arequipa[60]. La prosa romántica de ambas novelas lleva el sello de un estilista correcto.

Después de Cisneros, pasan diez años antes que se distinga otro novelista en el Perú. Si se examinan las fuentes bibliográficas de la literatura peruana, se hallará alguna que otra novela romántica folletinesca de autores que no han merecido la benévola atención del historiador nacional.

[60] José Jiménez Borja: "Discurso", *Obras,* Cisneros, II vol., pág. 26.

En la década de 1870, se dio a conocer como novelista FERNANDO CASÓS (1828-1882). Escribe desde París. Es autor realista, aunque cronológicamente pertenece a la generación del "48". Fernando Casós era estadista y debido a cambios violentos en la política tuvo que abandonar el país. Había ideado hacía algunos años, redactar una historia novelada del Perú desde 1820. Su expatriación interrumpió sus estudios y tuvo que conformarse, como dice, a escribir sobre su época. Su primera novela fue *Romances históricos del Perú, 1848-1873. Los amigos de Elena diez años antes,* 1874. En el prólogo afirma con conciencia de propósito:

> Lo que hago es una revolución literaria en la novela o romance contemporáneo que necesita cierto coraje para poner con todos sus pelos y señales, sus defectos y virtudes, nuestros hombres, nuestros hechos, nuestras instituciones y nuestras cosas[61].

Casós sintió que sólo revelando la realidad política en todas sus interioridades, podría estremecer a la sociedad limeña. Continúa su prólogo con estas abruptas palabras: "Escribo la novela contemporánea, porque estoy convencido que el maldito guano ha hecho a nuestra sociedad tan insensible, que para nada ha de servir sobre la generación presente la crítica del pasado, y que no le hace una mella todo lo que no sea hacerla pasar, como al mártir San Lorenzo, por la parrilla. A más de que, conociendo los hijos los vicios y las virtudes de sus padres, puede suceder que sientan la necesidad de seguirlos en el buen camino o de alejarse del mal ejemplo que les dejaron"[62].

El estilo de Casós deja mucho que desear, pero él afirma: "tanto mis romances como esta advertencia, tienen que seguir un estilo especial, para que los hechos sean comprendidos por las masas y lleguen a hacerse populares y conocidos por los hombres de chaqueta, en sus causas y efectos, espíritu y tendencias"[63].

---

[61] FERNANDO CASÓS: "Prólogo", *Los amigos de Elena diez años antes.* París, Poissy, 1874, I vol., pág. vii.
[62] *Ibid.,* pág. viii.
[63] *Ibid.,* pág. ix.

Los amigos de Elena diez años antes es una novela de clave. Casós también figura en ella bajo el anagrama afrancesado de Alejandro Asecaux. Representa el tipo perfecto del ciudadano patriota. Es, además, bien parecido, de descendencia noble y rico. El deseo de identificarse en la obra resultó ser un procedimiento arriesgado que lo llevó al ridículo. Sus contemporáneos no pudieron menos de reirse de verlo tan idealizado[64].

Escribió su segunda novela con el pseudónimo de *Segundo Pruvonema*. Se titula *Romance contemporáneo sobre el Perú (1867). ¡¡Los hombres de bien!!*, 1874. En el prólogo, Casós expresa con obsesión la necesidad que había "del fuego purificador" de su libro. Dramatiza con animación las maquinaciones económicas y políticas del partido reinante de la época, entretejiendo en ello una parte de ficción. Como obra, es mejor que la anterior.

Las novelas de Fernando Casós no son más que panfletos políticos bajo un velo ligero de ficción novelesca. No pertenecen ya al romanticismo, del cual queda sólo algún rasgo de sentimentalismo insulso en la débil trama novelesca.

La novela en el período romántico en el Perú no cuenta con ninguna obra excepcional. En 1885, al mejorar las condiciones del país después del desastre de la guerra con Chile, surgió una nueva generación de escritores y la novela adquirió mayor prestigio bajo nuevas tendencias con Mercedes Cabello de la Carbonera y Clorinda Matto Turner.

---

[64] RIVA AGÜERO: *op. cit.*, pág. 168.

CUARTA PARTE

COLOMBIA, VENEZUELA Y ECUADOR

Colombia, Venezuela y Ecuador forman otra órbita de evolución romántica, donde el romanticismo se encauzó progresivamente, sin destacarse, como en las naciones hispanas del sur, un movimiento militante. En Colombia, contribuyeron hacia 1840 a marcar el entusiasmo romántico, la orientación hacia la literatura contemporánea española dada en una cátedra universitaria y el inusitado influjo de obras románticas europeas recibidas a través de Caracas. Unas dos décadas más tarde, José María Vergara y Vergara ejerció su benéfica influencia en las veladas literarias de El Mosaico. Así aparecen *Manuela* (1866) y *María* (1867), de Eugenio Díaz Castro y Jorge Isaacs, dos buenas novelas de la rica y variada producción romántica que tuvo Colombia, quizás la mejor en Hispanoamérica.

Venezuela fue caso de excepción en la novelística romántica hispanoamericana por su extrema europeización en la novela, lo que le impidió expresarse con más brío en un tema nacional. Produjo, no obstante, al finalizar el romanticismo, una novela de inspiración nacional, *Zárate* (1882).

Ecuador rivalizó con Colombia, a pesar de su limitada novelística. Mera, el maestro autodidacta, reivindica el americanismo en la literatura nacional en sus ensayos de estética y triunfa en la novela con *Cumandá* (1879). Como nota festiva, Carlos R. Tobar escribe *Timoleón Coloma* (1888).

X

COLOMBIA

El movimiento romántico en Colombia aportó a la literatura hispanoamericana *María,* la más exquisita novela sentimental, y *Manuela,* una buena novela costumbrista. Hacia las últimas décadas del siglo, la novela romántica colombiana fue tranformándose gradualmente mediante su nota más persistente, el costumbrismo, hasta pasar a ser novela realista en *Tránsito,* otra obra digna de la literatura hispanoamericana.

El romanticismo en Colombia tuvo un desarrollo progresivo. Pertenece a la fase prerromántica JOSÉ MARÍA GRUESSO (1779-1835), canónigo de Popayán, quien tradujo *Los sepulcros* de Harvey y escribió *Las noches de Geussor,* al estilo de Young. Luego, JOSÉ FERNÁNDEZ MADRID (1789-1830) escribe dos tragedias, *Atalá* y *Guatimoc,* románticas sólo en la sugerencia del tema, pues siguen el molde clásico. JOSÉ EUSEBIO CARO (1817-1853) rompe con la tradición y es el primer poeta lírico romántico. JULIO ARBOLEDA (1817-1861) se distingue por su *Gonzalo de Oyón* como el poeta del romanticismo histórico americano. JOSÉ JOAQUÍN ORTIZ (1814-1892) es el poeta de la patria. De los tres sólo Ortiz ensayó el género novelesco. Su breve novelita sentimental, *María Dolores, o La historia de mi casamiento,* inicia en 1841 la novela romántica colombiana.

La década de 1840 fue época de pleno romanticismo. Uno de los centros de propagación de la nueva escuela fue la ciudad de Caracas. Recuerda el literato SALVADOR CAMACHO ROLDÁN:

> En ese tiempo, de 1843 a 1848, Caracas merecía el nombre de la Atenas de América: allá se reimprimían ávidamente las más notables producciones de la literatura española contemporánea, y traducciones de la francesa, también entonces floreciente, en parte por efecto de la revolución popular de julio de 1830, que

había abierto a Víctor Hugo y a Alejandro Dumas la puerta cerrada por Carlos X a *Marion Delorme, Le roi s'amuse* y *Cristina en Fontainebleau.* Con las obras de Larra, de Zorrilla, Bermúdez de Castro y García Tassara, nos llegaban las producciones de Víctor Hugo, Lamartine, Alejandro Dumas, Alfredo de Musset, Béranger y Eugenio Sue, y al propio tiempo los ecos simpáticos que, al ruido de esas grandes voces, levantaban en Venezuela Abigaíl Lozano, José Antonio Maitín, los Calcaños, Rafael María Baralt y Heriberto García de Quevedo[1].

En Bogotá, añade el nombrado literato de aquella época:

> El gobierno mismo, quizá sin pensarlo, contribuyó a este movimiento notable de los espíritus en busca de satisfacción literaria, colocando en la cátedra de Retórica... al español señor Diodoro de Pascual, cuyas lecciones orales, muy riudosas y concurridas en 1845, dirigieron la corriente al estudio de la literatura española contemporánea[2].

El escritor JOSÉ MARÍA SAMPER refiere en sus memorias, *Historia de un alma,* el entusiasmo de sus compañeros por la nueva literatura. Convertido al romanticismo con las lecturas de los poetas españoles, recuerda luego su pasión por las obras de Bernardin de Saint Pierre y Chateaubriand, Lamartine, Víctor Hugo, Alejandro Dumas y sobre todo por las obras de Walter Scott. Cada vez que tenía a fuerza de ahorros los reales necesarios, iba y compraba una novela de Walter Scott. Después de leerla a gusto, la revendía o la rifaba entre ssu compañeros de San Bartolomé para volver a comprar cuantas podía conseguir del célebre novelista inglés.

Mientras tanto la novela colombiana se desarrollaba rápidamente. Después de *María Dolores,* 1841, José Joaquín Ortiz escribió otra novelita sentimental, *Huérfanas de ma-*

---

[1] SALVADOR CAMACHO ROLDÁN: *Estudios,* Bogotá, Minerva, 1936, págs. 99-100.
[2] *Ibid.,* pág. 105.

dre. Juan José Nieto (1804-1866) inició el género histórico con *Yngerima, o La hija de Calamar. (Novela histórica, o Recuerdos de la conquista, 1533-1537)*, publicada en Kingston, Jamaica, 1844, con una breve noticia de los usos, costumbres y religión del pueblo de Calamar. Al año siguiente publicó *Los moriscos*, también en Kingston, y luego en Cartagena, *El castillo de Chagres,* en *La Democracia,* 1850-52. A Juan Francisco Ortiz (1808-1875), hermano del citado poeta, se le atribuye la novela histórica anónima *El Oidor de Santa Fe*, que apareció por primera vez en *El Día*, en 1845. Su segunda novela, *Carolina la bella,* publicada hacia 1855, es una novela corta epistolar, cuyo tema es la censura del duelo. José Antonio Plaza (1809-1854) escribió *El Oidor. Romance del siglo XVI,* basado sobre un episodio que el cronista Rodríguez Freyle narra en *El carnero.* Apareció primero en *El Día*, Bogotá, 1848, y tuvo edición aparte dos años más tarde[3].

Es evidente que el tema histórico fue el más favorecido en la primera década de la novelística romántica. En la segunda, alcanzó mayor realce con Felipe Pérez (1836-1891), persona de extraordinarias dotes. Su biógrafo, Enrique Pérez, señala que pocos hombres fueron llamados a desempeñar mayor número de cargos en la administración nacional. Viajó extensamente. Fue catedrático, poeta, dramaturgo y periodista. Por sus obras eruditas, la Sociedad de Geografía de París lo nombró miembro activo y la Academia Nacional de Historia de Venezuela, miembro correspondiente. Comenzó a escribir sus novelas a los veinte años. Al grupo inicial pertenecen *Huayna Capac,* 1856, *Atahualpa,* 1856, *Los Pizarros,* 1857, *Jilma,* 1858, y además, la novelita *El caballero de la barba negra,* 1858.

Los pizarros es una obra ambiciosa y extensa. Se divide en tres partes y su historia continúa sin interrupción en *Jilma.* La primera parte está bien escrita porque el autor novela siguiendo fundamentalmente a los historiadores. En la segunda, en que describe la llegada de Pizarro a Toledo,

[3] *Cf.* John E. Englekirk y Gerald E. Wade: *Bibliografía de la novela colombiana,* México, Imprenta Universitaria, 1950.

ya se nota la mano libre del novelista romántico. En la tercera, decae aún más el estilo por sus episodios folletinescos
de piratas y princesas robadas. No queriendo repetir Pérez
los datos históricos de la muerte del último emperador inca,
refiere al lector a ciertos capítulos de *Atahualpa,* así como
en la primera parte hace alusión a los jardines artificiales
de piedras preciosas que describe en *Huayna Capac.* En otros
pasajes deja a los propios cronistas e historiadores hablar
por él.

Después de un período de diecisiete años, Felipe Pérez
reanuda su serie de novelas históricas con *Los Gigantes* en
1875. Le siguen *Carlota Corday,* 1881, *Sara,* 1883, *El caballero Rauzán,* 1887, y otras relegadas al olvido. *Los gigantes*
cubre el período del destierro de Nariño al 20 de julio de
1810, día en que se efectuó la transformación política del
virreinato sin necesidad de armas, como señala Pérez con
orgullo. Los elementos históricos y novelescos no se integran, pero vale mencionar la obra por un pasaje de unas
cuarenta páginas verdaderamente curioso e interesante. En
una parte de la historia, Sajipa, indio muisca, emprende un
viaje por tierra de Bogotá a La Guaira. Se encuentra con
una tribu salvaje de indios guahibos. Lo aceptan por haber
demostrado su proeza al salvar a uno de ellos de una muerte segura. El guahibo salvado se hace compañero inseparable
de Sajipa y por medio de ellos dos tenemos un relato de la
vida y costumbres de los guahibos. Poco después, Sajipa
emigra con la tribu a las orillas del Guaviare para la recolec-
ta anual de huevos de terecai. A lo largo del río vienen y
se colocan otras tribus con el mismo objeto. Su compañero
guahibo le va indicando las peculiaridades de cada una de
las tribus presentes: cabres, enaguas, amarizanos, mituas,
guapunabis, choroyes, amorúas, chucunas, airicos, tamas,
maquiritares y guaiguas. Luego presencian los dos una ceremonia fúnebre de los salivas. Cuando Sajipa expresa su
deseo de seguir viaje, su amigo guahibo se presta de guía.
Navegan por el Guaviare y aún encuentran otros indios salvajes hasta alcanzar una tribu pacífica de indios corregua-

jes, Después de unos días de descanso reanudan viaje a través de las extensas sabanas.

Cuando Felipe Pérez compuso esta novela ya había publicado su *Geografía física y política de los Estados Unidos de Colombia,* 1862-1863, escrita por orden del Gobierno General. De ella transcribe a *Los Gigantes* numerosos pasajes sobre las costumbres de los indios de aquellas regiones. Es el único caso en la novela romántica en que se trata del indio con precisión etnográfica.

La novela histórica siguió cultivada por otros novelistas menores en la década del '60 y con verdadero entusiasmo unos diez años más tarde SOLEDAD ACOSTA DE SAMPER (1833-1913). Esposa de José María Samper, se destacó entre el grupo de mujeres novelistas de su época. Su padre se había distinguido como historiador y ella misma escribió *Biografías de hombres ilustres o notables de la conquista y de la colonia,* la más importante entre sus obras históricas y sociológicas. Perteneció esta notable escritora a la Academia de Historia de Colombia y de Venezuela y a otras sociedades culturales en el extranjero. Escribió varias novelitas, reunidas luego en *Novelas y cuadros de la vida suramericana.* La colección se publicó en Bélgica, 1869. Después emprendió una serie de novelas históricas, sin dejar de publicar a la vez otras novelas sentimentales o de costumbres, que fueron apareciendo en las revistas del día o en las suyas propias. Algunas de sus novelas alcanzaron edición aparte. Gustavo Otero Muñoz calificó sus novelas históricas monótonas y poco interesantes, y mejores, *Dolores, Teresa la limeña* y *El corazón de una mujer.* La primera fue traducida al inglés y publicada en Nueva York como *Dolores: The Story of a Leper*[4].

Cuando comenzó a escribir sus novelas históricas, tomó por modelo a Walter Scott, y así lo afirma más tarde en su introducción a los *Episodios novelescos de la historia patria. Insurrección de los comuneros,* 1887. Según dice, se propuso seguir siempre los datos históricos aunque sentía el

---

[4] Cf. GUSTAVO OTERO MUÑOZ: "Soledad Acosta de Samper", *Boletín de Historia y Antigüedades,* 1937, XXIV, págs 257-283.

derecho de interpretar a su criterio el carácter de sus personajes, buscando en todo caso lo verosímil y probable en los móviles que tuvieron para ejecutar tal o cual acto.

Además de sus novelas históricas sueltas, quiso emprender aún la historia de Colombia desde su conquista hasta la actualidad. Las dos noveles *Gil Bayle. España 1390. Leyenda histórica,* 1876, y *Los hidalgos de Zamora. Novela histórica y de costumbres del siglo XVI,* 1878, formaron parte de *Los españoles en España,* una introducción a la serie de *Los españoles en América,* la cual llegó a contar con *Los descubridores. Alonso Ojeda,* 1879, y *Aventuras de un español entre los indios de las Antillas,* 1905-1906. Al publicar esta última novela, indica haber imitado a Benito Pérez Galdós. La mejor producción de Soledad Acosta de Samper fue *Los piratas en Cartagena,* 1886, cinco novelitas o cuadros históricos del siglo XVI al XVIII, en prosa realista.

A mediados de la década de 1850, el gusto nacional empezó a resentirse de los excesos del romanticismo. Apenas diez años antes, habían sido acogidas con entusiasmo las representaciones de *Los amantes de Teruel,* el *Macias* y *El trovador*[5]. De las creaciones nacionales ahora ya se hacían críticas desfavorables. En la poesía lírica, el romanticismo había agotado su originalidad y frescura. "Desacreditado el romanticismo", indica el historiador Antonio Gómez Restrepo, "se inició una reacción en sentido realista que se manifiesta francamente en dos géneros: en los cuadros de costumbres y en la poesía festiva de tendencias populares"[6]. Como ejemplo de ello, señala al poeta Gregorio González Gutiérrez, quien se inició bajo la influencia de Zorrilla y en su segundo período escribió *El cultivo del maíz,* obra en que armonizan la realidad prosaica y la inspiración poética.

La novela romántica siguió con todas sus características emotivas y aún con su historicismo, pero sí adquirió una nota nueva: el cuadro de costumbres. Encauzó la novela

[5] CAMACHO ROLDÁN: *op. cit.,* pág. 101.
[6] ANTONIO GÓMEZ RESTREPO: "La literatura colombiana", *Revue Hispanique,* 1918, XLIII, pág. 140.

romántica en su estilo costumbrista, el grupo de literatos
que formaban por aquella época la tertulia llamada El Mosaico. En aquel célebre círculo literario, según cuenta José
María Samper, se discutía sobre toda clase de temas y especialmente sobre historia patria y literatura. Todos hacían
lecturas sometidas a la afectuosa pero severa y franca crítica de José María Vergara y Vergara (1831-1872), el alma de aquel círculo.

El gusto literario de Vergara que pudo influir en los
miembros de El Mosaico se conoce por sus *Artículos literarios*: ensayos sobre Chateaubriand, Fernán Caballero,
Henri Conscience "el Fernán Caballero del Norte", Trueba
y Selgas, Hartzenbusch, Campoamor y Núñez de Arce. Vergara rechazaba a Dumas y a George Sand. Como novela de
cuadros de costumbres, tiene *Olivos y aceitunos, todos son
unos,* 1868.

Por José María Vergara sabemos cómo un día se presentó
a verlo de parte del popular poeta Ricardo Carrasquilla,
Eugenio Díaz Castro (1804-1865), vestido a la usanza del
campo, con la idea de proponerle la publicación de un periódico literario. Díaz sugirió el nombre de *El Mosaico*. Vergara
le preguntó si había escrito algo, a lo cual respondió, *Manuela*: "una colección de cuadros de trapiche, la roza de
maíz, la estanciera y otros escritos de esas tierras donde he
vivido"[7]. Sacó unos veinte cuadernillos de papel escritos y
a medida que Vergara los fue ojeando aumentó su entusiasmo. Se iniciaron en el momento los trámites de imprenta
y en dos días se aprestaron los materiales adicionales del
primer número de *El Mosaico*.

Por el momento la *Manuela* no siguió publicándose, cuenta Vergara,

> Porque don Eugenio no quería poner en limpio
> los confusos borradores. Rogábale yo que lo hiciera,
> y él tomaba papel para obedecer; pero en el acto sen-
> tía el convite que la pluma hacía a la imaginación; y
> en lugar de copiar y pulir la novela que tenía por de-

[7] José María Vergara y Vergara: "El señor Eugenio Díaz",
Artículos literarios, Londres, J. M. Fonnegra, 1885, págs. 325-326.

lante, improvisaba otra no menos larga, no menos ingeniosa, no menos rica[8].

Ya tenía escrito *Una ronda de don Ventura Ahumada,*
1858, y luego fueron apareciendo en breve tiempo *El rejo de
enlazar, Bruna la carbonera, Los aguinaldos en Chapinero,
María Ticince, o los pescadores del Funza,* y alguna otra.
Después de *Manuela,* su mejor obra es *Los pescadores
del Funza:*

> Momento ignorado de penetración psicológica, de
> piedad, en donde está en medio de un silencio escalo-
> friante toda la tragedia de la raza chibcha, y sin nom-
> brarla, toda la religiosidad mitológica del río sagrado
> de aguas turbias en donde, haciendo pesca furtiva,
> porque otra era imposible, se ahogó calladamente Ma-
> ría Ticince, bajo el vuelo de los grullones y las garzas
> blancas y rosadas que posan en las orillas[9].

Eugenio Díaz concluyó *Manuela* y se publicó en edición
aparte en 1866, al año de su muerte. En 1889 se hizo otra
edición con un extenso prólogo por Salvador Camacho Roldán. La acción de la novela se desarrolla hacia 1856 en una
parroquia típica en el declive de la cordillera de los Andes
que se prolonga desde la altiplanicie de Bogotá hasta el
Magdalena. En el relato de la vida cotidiana del pueblo surge el tema dominante de la novela: la política. Demóstenes,
joven bogotano, viene a la parroquia de Manuela para apartarse de la política. El antiguo partido liberal o "draconia-
no" se había unido al conservador, y él, como "gólgota" o liberal progresivo, había renunciado, igual que los demás del
grupo, a toda participación en el poder público. Socialista
y librepensador, pronto se interesa por el destino de la parroquia, aunque a veces no sale muy lucido en sus discu-
siones con los campesinos, a quienes les habla de teorías y
ellos le contestan con hechos. Así lo siente Manuela:

> Ya verá como ñua Melchora y Pía y ñor Dimas le

[8] *Ibid.,* pág. 330.
[9] TOMÁS RUEDA VARGAS: "Prólogo", *El rejo de enlazar.* Eugenio Díaz Castro, Bogotá, Kelly, 1942, pág. 10.

hacen conocer cosas mucho más importantes para el gobierno, que esas sus novelas que Ud. llama sociales y sobre todo Ud. va a ganar mucho con haber visto cómo es el gobierno de la parroquia[10].

Después de ayudar a la pequeña comunidad a luchar contra la tiranía del gamonal representada en don Tadeo, regresa a Bogotá con ideas y propósitos mucho más definidos. Antes de partir, el cura le encarece de no olvidar, cuando vaya al congreso, la vida de la parroquia y de recordar, además, que en una parroquia, el cura es a veces la única valla a la barbarie. El tiende a llevar a los hombres, le dice a don Demóstenes, a:

> Lo que Ud. busca por otros caminos, que no le llevarán a donde Ud. quiere, esto es, a la *república cristiana*[11].

La amenidad de *Manuela* resulta en parte de su propio estilo costumbrista. No dejan de tener intención de crítica social las escenas del trapiche, así como el cuadro del campesino luchando para conservar su roza de maíz tan desfavorablemente arrendada del estanciero. Entre patéticas y cómicas son las descripciones de las guardianas que se levantan diariamente antes del alba y subidas en una guarita bien provistas de piedras, espantan a grandes voces y a pedradas los micos, ardillas, guapas y guacamayas que invaden sus pequeñas sementeras. Contrastan con estos cuadros, la vida de las "manojeras" o tabacaleras que trabajaban con buenas condiciones sociales en las fábricas de Ambalema.

De las diversiones tradicionales quedan descritas en la novela los bailes de las "cintureras", nombre derivado de su traje regional. Tanto gozaban del "bambuco" y del "torbellino", que al día siguiente se quedaban dormidas en la cocina, en el lavadero de la quebrada o donde les venciera el sueño después de la trasnochada del baile. Luego hay la descripción de la fiesta de San Juan: el baño en el río a la

---

[10] EUGENIO DÍAZ CASTRO: *Manuela*, Bogotá, Kelly, 1942, página 295.
[11] *Ibid.*, pág. 436.

madrugada y el almuerzo de la mañana en la pradera; más tarde, la simbólica decapitación del gallo medio enterrado o la corrida de caballos, esta vez con el pobre gallo suspendido de las patas; y por último, el baile, que venía a ser la diversión popular de todo el año. Hasta el velorio de un niño, puesto que el niño iba al cielo, era pretexto de baile y regocijo. "El baile del angelito" es un tema que surge más de una vez en el costumbrismo hispanoamericano.

El estilo de Eugenio Díaz, dijo Vergara, "es caluroso, lleno de imágenes de buena ley, graciosas, originales; su lenguaje es incorrecto, mas con la ventaja de que no conociendo más idioma que el suyo y desconociendo la literatura extranjera, nunca incurrió en galicismos ni en neologismos"[12]. En realidad, su estilo está a la altura del costumbrista que pinta más con simpatía que con donaire, más apegado a la realidad casera que a la oportunidad lírica que se le presente. Veamos la descripción nada poética que hace de Manuela el día de su boda:

> La ilustre novia de la montaña había echado un empréstito demasiado fuerte en las haciendas y en la parroquia, por medio del cual había recogido seis camisones de zaraza, seis enaguas interiores, seis pañolones, algunos pañuelos y medias, sortijas y zarcillos; pero no halló ni un solo par de zapatos a la medida de su pie porque los de las señoritas Juanita y Clotilde eran pequeños, que no le sirvieron ni para calzarse el dedo gordo del pie derecho, muy abultado a consecuencia de los uñeros que había padecido en el trapiche. Sin embargo, Dimas, que fue a vender unos plátanos a Bogotá, compró los de la horma más grande que pudo hallar en las tiendas del puente de San Francisco, y a pesar de todo, le quedaron muy ajustados[13].

A veces el interés que el novelista costumbrista tiene por presentar el cuadro de costumbres es tan grande, que le concede más importancia a él que a la trama. La novela siempre corre el peligro de desintegrarse por falta de orientación.

[12] VERGARA: *op. cit.*, pág. 329.
[13] DÍAZ: *Manuela*, pág. 442.

La historia podría terminarse en casi cualquier punto o seguir indolentemente. En *Manuela* la trama se desarrolla con la tranquilidad inmutable de la vida del campo. Su desenlace final es algo arbitrario y sumamente melodramático. En *El rejo de enlazar* el enredo novelesco es muy flojo. Sus cuadros se desarrollan en la sabana de Bogotá durante la dictadura del general Melo. La obra termina con estas palabras del autor:

> Tal vez los cuadros que he descrito no merezcan el título de novela que les he dado. He descrito con la mayor fidelidad que me ha sido posible la vida de las haciendas. Mi lenguaje es sencillo como el asunto de que trataba. Si he sido fiel en el relato, lo dirán los que habiendo vivido esa vida conocen todos sus secretos, goces y estiman los encantos de que está rodeada[14].

La novela romántica colombiana debe sus dos mejores obras al estímulo del círculo literario El Mosaico. Sus miembros costearon la publicación de las poesías del joven cauqueño JORGE ISAACS (1837-1895) y a instancias y consejos del círculo, creó aquél su inmortal *María*. En ella, su única novela, dejó reminiscencias personales de familia y de su querido valle de Cauca.

Se ha dicho de *María* que "es una de las creaciones literarias más hermosas y más cercanas de la perfección que haya producido la literatura americana"[15]. La primera edición, en 1867, llevó un prólogo encomiástico de José María Vergara y Vergara. Enseguida se multiplicaron las ediciones. Hoy día acaso es la novela que más ediciones haya tenido de Hispanoamérica y sobre la cual más se haya escrito. Ha sido objeto, además, de varias traducciones.

Aunque refleja la influencia de la novela sentimental francesa, tiene el encanto superior de su propia naturalidad. La historia es un sencillo idilio que florece entre Efraín y

---

[14] DÍAZ: *El rejo de enlazar*, pág. 246.
[15] BALDOMERO SANÍN CANO: *Letras colombianas*, México, Fondo de Cultura Económica, 1944, pág. 111.

María, prima lejana, adoptada en la familia desde la infancia. Paso a paso, con las leves gracias de María y la sensibilidad correspondiente de Efraín, se desarrolla ese idilio en el círculo de la familia, bajo la benévola aprobación del padre y la tácita complacencia de la madre.

Efraín es el mismo joven sensible y formal durante toda la historia. María, al principio, es la niña de quince años que se ofusca de la más mínima alusión que se le haga sobre sus sentimientos. Después de su compromiso con Efraín, María va adquiriendo cierta coquetería y firmeza mujeril en las afirmaciones y subterfugios del amor. Esto lo caracteriza Isaacs con mucha gracia y naturalidad en sus diálogos. Recuerda Efraín:

Un día llevaba yo una abundante provisión de lirios. ...Escogí los más hermosos para entregárselos a María, y recibiendo de Juan Angel todos los otros, los arrojé al baño. Ella exclamó:

—¡Ay! ¡Qué lástima! ¡Tan lindos!

—Las ondinas, le dije, hacen lo mismo con ellos cuando se bañan en los remansos.

—¿Quiénes son las ondinas?

—Unas mujeres que quisieran parecerse a ti.

—¿A mí? ¿Dónde las has visto?

—En el río las veía.

María rió, y como me alejaba, me dijo:

—No me demoraré sino un ratito.

Media hora después entró al salón donde la esperaba yo..., Al verme, se detuvo exclamando:

—¡Ah! ¿Por qué aquí?

—Porque supuse que entrarías.

—Y yo, que me esperabas.

Sentose en el sofá que le indiqué, e interrumpió luego algo en que pensaba para decirme:

—¿Por qué es, ah?

—¿Qué cosa?

—Que sucede esto siempre.

—Que si imagino que vas a hacer algo, lo haces.

—¿Y por qué me avisa también algo que vienes, si has tardado?

—Eso no tiene explicación.

—Yo quería saber, desde hace días, si sucediéndome esto ahora, cuando no estés aquí ya, podrás adivinar lo que yo haga y saber yo si estás pensando...

—¿En ti, no?

—Será. Vamos al costurero de mamá... ¿Conque son muy lindas esas mujeres?, preguntó sonriéndose y arreglando la costura. ¿Cómo se llaman?

—¡Ah!... son muy lindas.

—¿Y viven en los montes?

—En las orillas del río.

—¿Al sol y al agua? No deben ser muy blancas.

—En la sombra de los grandes bosques.

—¿Y qué hacen allí?

—No sé qué hacen: lo que sí sé es que ya no las encuentro.

—¿Y cuánto hace que te sucede esa desgracia? ¿Por qué no te esperan? Siendo tan bonitas, estarás apesadumbrado.

—Están... pero tú no sabes qué es estar así.

—Pues me lo explicarás tú. ¿Cómo están?...

—Voy a confesártelo.

—A ver, pues.

—Están celosas de ti.

—¿Enojadas conmigo?

—Sí.

—¡Conmigo!

—Antes sólo pensaba yo en ellas, y después...

—¿Después?

—Las olvidé por ti.

—Entonces me voy a poner muy orgullosa.

Luego pensando, sin duda, en el viaje de Efraín, añade:

—¿En Europa hay ondinas?... Oigame, mi amigo, ¿en Europa hay?[16]

[16]   JORGE ISAACS: *María*, Bogotá, ABC, 1942, págs. 236-238.

Efraín y María habían compartido la lectura de Chateaubriand. Así lo recuerda el joven con emoción:

> Una tarde, como las de mi país, engalanada con nubes de color violeta y lampos de oro pálido, bella como María, bella y transitoria como fue ésta para mí, ella, mi hermana y yo, sentados sobre la ancha piedra de la pendiente, desde donde veíamos a la derecha en la honda vega rodar las corrientes bulliciosas del río, y teniendo a nuestros pies el valle majestuoso y callado, leía yo el episodio de Atalá, y las dos, admirables en su inmovilidad y abandono, oían brotar de mis labios toda aquella melancolía aglomerada por el poeta para "hacer llorar al mundo"... ¡Ay, mi alma y la de María no sólo estaban conmovidas por aquella lectura: estaban abrumadas por el presentimiento!"[17].

Efraín a lo largo de su narración, deja escapar esas notas de melancolía, herido por las reminiscencias del pasado. Son los presagios de la tragedia final. Por esos mismos lugares vuelve después de la muerte de María y evoca el paisaje a través de sus emociones:

> Detúveme en la asomada de la colina. Dos años antes, en una tarde como aquella, que entonces armonizaba con mi felicidad y ahora era indiferente a mi dolor, había divisado desde allí mismo las luces de ese hogar donde con amorosa ansiedad era esperado. María estaba allí... Ya esa casa cerrada y sus contornos solitarios y silenciosos: ¡entonces el amor que nacía y ya el amor sin esperanza! Allí, a pocos pasos del sendero que la grama empezaba a borrar, veía la ancha piedra que nos sirvió de asiento tantas veces en aquellas felices tardes de lectura. Estaba, al fin, inmediato al huerto confidente de mis amores: las palomas y los tordos alenteaban piando y gimiendo en los follajes de los naranjos: el viento arrastraba hojas secas sobre el empedrado de la gradería[18].

[17] *Ibid.*, págs. 49-50.
[18] *Ibid.*, pág. 323.

La prosa de Isaacs es armoniosa y poética sin ser recargada como la prosa romántica. Cuando describe un cuadro poético de la naturaleza, selecciona artísticamente el detalle:

Guabos churimbos, sobre cuyas flores revoloteaban millares de esmeraldas, nos ofrecían densa sombra y acolchonada hojarasca donde extendimos las ruanas. En el fondo del profundo remanso que estaba a nuestros pies, se veían hasta los más pequeños guijarros y jugueteaban sardinas plateadas. Abajo, sobre las piedras que no cubrían las corrientes, garzones azules y garcitas blancas pescaban espiando o se peinaban el plumaje. En la playa de enfrente rumiaban acostadas hermosas vacas; guacamayas escondidas en los follajes de los cachimbos charlaban a media voz; y tendida en las ramas altas dormía una partida de monos en perezoso abandono. Las chicharras hacían resonar por dondequiera sus cantos monótonos. Una que otra ardilla curiosa asomaba por entre el cañaveral y desaparecía velozmente. Hacia el interior de la selva oíamos de rato el ritmo melancólico de las chilacoas[19].

En sus descripciones, Isaacs usa a veces metáforas que parecen preludios del modernismo:

Las garzas abandonaban sus dormideros formando en su vuelo líneas ondulantes que plateaba el sol, como cintas abandonadas al capricho del viento[20].

Isaacs es también costumbrista. Los amenos cuadros de la vida campestre están bien integrados a la obra. Excepción a esta unidad estilística es el relato hecho de la vieja esclava, el cual nos parece una interpolación incongrua. Tal vez sea esto un elogio inconsciente de la obra de Isaacs al olvidarnos que María es, a pesar de su universalidad, un producto de la escuela romántica y la historia de Nay y Sinar, un subterfugio de exotismo romántico.

Con Manuela y María culmina el período romántico de

[19] Ibid., pág. 80.
[20] Ibid., pág. 39.

la novela colombiana. Los novelistas que por entonces escribieron no superaron el género costumbrista o sentimental de una y otra obra. Entre los novelistas de aquella época, el más conocido fue José María Samper (1828-1888), estadista y fecundo escritor que abordó todos los géneros literarios, además de ser profesor en derecho público, historiador y periodista. Su primera novela se publicó en el periódico *La Opinión* con el título *Una taza de claveles* y luego independientemente en 1881 como *Los claveles de Julia*. Es una novela sentimental, muy ingenua y de escaso valor literario. Las últimas páginas adquieren un poco de colorido con la descripción de lo que era antiguamente el balneario de Chorrillos, con sus costumbres tradicionales en tiempo de Cuaresma.

Dos años después, en 1866, publicó *Martín Flores,* de mayor aliento, luego, *Un drama íntimo, Florencio Conde,* 1875, *El poeta soldado,* 1881, y en edición póstuma se editó *Lucas Vargas,* 1899, todas novelas contemporáneas con algo de costumbrismo. Ningua sobrepasó la mediocridad.

El poeta soldado tiene un pasaje interesante por lo que refleja el espíritu intelectual de la época en la década de 1870. Eran tiempos de transición. Recordando los años universitarios del héroe de la novela, explica Samper: "Apenas comenzaba por entonces (1871) a iniciarse por nobles y aventajados espíritus, nutridos con sólidos conocimientos, aquella saludable reacción literaria que, encaminada a reivindicar los fueros de la lengua castellana y a rehabilitar el gusto por la clásica literatura de nuestros mayores, había de producir los más felices resultados en orden a la cultura de la mente y al renacimiento del arte humano con la ciencia[21].

La reacción literaria se realizaba paralela a un cambio radical en el orden filosófico: "en 1871 una secta que profesaba el sensualismo como filosofía y el utilitarismo como regla de criterio moral, se propuso apoderarse de la Universidad, monopolizarla en provecho propio y expulsar de

[21] José María Samper: *El poeta soldado,* Bogotá, Zalamea Hnos., 1881, pág. 17.

ella a todo profesor y a toda enseñanza que no estuviesen al servicio de la secta. Toda clase que se hubiese sostenido para la enseñanza de la filosofía religiosa y moral, fue suprimida; Bentham reemplazó a Dios y a la verdadera ciencia, y Tracy sustituyó a Balmes"[22].

A pesar de la aparente renovación literaria, en la novela habían de trancurrir quince años antes de observarse un desprendimiento final de la tradición romántica. Mientras tanto, presentaba los mismos rasgos: sentimiento e idealismo pronunciados, asuntos históricos o contemporáneos con abundantes escenas costumbristas. Los mismos costumbristas ensayaron la novela, entreverando en sus cuadros alguna historieta, y a veces traspasaban la técnica costumbrista al género histórico. JOSÉ CAICEDO ROJAS (1816-1898) empleó este estilo en *Don Alvaro. Cuadros históricos y novelescos del siglo XVI*, 1871-72: "Debe tenerse presente que *D. Alvaro* es un verdadero cuadro de costumbres de siglos pasados, y como tal, enredo y artificio puede ser en él cosa secundaria"[23]. En efecto, apenas se esboza en la obra un idilio sentimental de trágico desenlace. Caicedo Rojas escribió luego unas diez novelas históricas por el estilo de *Don Alvaro*, que fueron apareciendo en el *Repertorio Colombiano*. Hoy día se le recuerda por sus célebres cuadros *Apuntes de ranchería*.

Otro costumbrista conocido fue David Guarín (1830-1890). Escribió *Las tres semanas*, 1884, una serie de cuadros de las fiestas de Bogotá que se celebraban en el aniversario de la independencia nacional. Hay en la obra una constante variación de escenas. Torneos, corridas, exposiciones, comidas, bailes, y a través de todo ello, un laberinto de amoríos y crímenes del día que constituye un vaivén de trama. El autor, más que novelista, es un repórter. El costumbrismo lo conduce a un franco realismo con ribetes de naturalismo al describir las tragedias, la inmoralidad y los desórdenes incidentales que resultaban de dichas fiestas.

    [22] *Ibid.*, pág. 18.
    [23] JOSÉ CAICEDO ROJAS: *Don Alvaro, Escritos escogidos*, II vol., Bogotá, M. Rivas & Cía., 1891, pág. 1.

En 1886, Eustaquio Palacios (1830-1898), literato y poeta, publicó su única novela, *El Alférez Real*. Aunque en la dedicatoria expresó el autor su propósito de escribir una obra histórica, el estilo refleja la corriente costumbrista de la época. En la primera parte abundan descripciones o inventarios de trajes, interiores de casas, la hacienda, Cali en 1789, y luego sigue una serie de escenas costumbristas del campo— una boda, el baño en el río, el festín al aire libre, el baile del bambuco y el torbellino— escenas que no difieren del costumbrismo contemporáneo. La acción es lenta y la mayor parte de ella queda resumida al final. El amor imposible de doña Inés de Lara por el secretario de su protector, el Alférez Real, se resuelve cuando el joven, Daniel, resulta ser sobrino lejano del Alférez y por lo tanto, digno por rango y fortuna de la mano de doña Inés.

En el mismo año de 1886 se publica *Tránsito,* novela de Luis Segundo de Silvestre (1838-1887). Fue muy elogiada por José María Samper y por Juan Valera en una de sus *Cartas* aunque fuera la única novela colombiana que por entonces conocía el ilustre crítico español. Luis Segundo de Silvestre, estadista, inició su carrera política en 1858 como secretario privado del presidente Mariano Ospina. Fue redactor de varios periódicos y su modesta producción literaria cuenta con *Tránsito* y dos cuentos de estilo costumbrista.

Lo mejor de *Tránsito* es su fácil narración. El joven que cuenta la historia había alquilado una balsa para volver a Girardot, a la factoría donde trabajaba. A última hora y contra su voluntad, se le monta una muchacha del pueblo. Es Tránsito. En el curso del viaje relata su desgraciada historia. Luego no hay forma ni manera de deshacerse de ella. Consigue por fin enamoriscar al joven, cuando un rico hacendado, a quien siempre había despreciado (y de quien huía aquel día de la balsa) se entera de su paradero y la mata por venganza.

El estilo de la prosa, aun en las descripciones, es ya más terso. Es realista. Véase un detalle:

Lentamente subimos la escarpada cadena de colinas bajo un sol abrasador, mudos, porque el bochorno no nos dejaba ni aliento para hablar; hasta las cigarras callaban, y sólo el chillido del grillo y el sonido del cascabel del crótalo, que abunda en la cañada, solía oírse como para decirnos que había alguien despierto en aquel sopor general de la naturaleza fatigada por el calor[24].

Tránsito representa un ejemplo perfecto del paso final del costumbrismo romántico al realismo regional. La prosa es llana, directa, y la trama ligera y muy bien medida. Las escenas costumbristas están tan bien integradas a la trama. No le detienen su curso ni absorben todo el interés. No hay sentimentalismo excesivo ni personajes idealizados. Aunque la historia tiene un fin trágico, no hay ambiente melodramático. La obra está totalmente depurada de la antigua técnica romántica.

Por el año en que aparece *Tránsito,* empieza un nuevo ciclo estilístico, en que Colombia había de producir en la novela excelentes autores realistas y regionales, como lo fueron Lorenzo Marroquín y Tomás Carrasquilla.

[24] Luis Segundo de Silvestre: *Tránsito,* Bogotá, Minerva, 1936, pág. 88.

XI

VENEZUELA

El romanticismo, como movimiento literario, se definió en Venezuela a partir de 1830. Los primeros poetas románticos fueron Abigaíl Lozano y José Antonio Maitín. Desde 1835 se leían popularmente en Caracas las obras de Madame de Staël, Chateaubriand, Lamartine, Alfredo de Vigni, Víctor Hugo, Alfredo de Musset y George Sand[25]. Complementaban la influencia francesa en las letras, los románticos españoles, y directamente o a través de la literatura española, los escritores ingleses.

Venezuela fue la tierra natal de varios autores que por razones personales optaron establecerse en España y llegaron a integrarse a su tradición literaria. Antonio Ros de Olano (1802-1880), amigo y discípulo de Espronceda, fue militar, poeta y novelista, y obtuvo en la campaña de Africa el singular título de marqués de Guad-el-Jelú. José Heriberto García de Quevedo (1819-1871), poeta y autor dramático, colaboró en algunos poemas con Zorrilla, cuyo estilo admiraba. Rafael Baralt (1810-1860), erudito y poeta de gusto clásico, se distinguió por sus trabajos filológicos.

Una heterogeneidad estilística caracterizó en Venezuela el período que debió pertenecer sólo al romanticismo. Gonzalo Picón Febrés, historiador y crítico literario, apuntó en términos concretos:

> Ni el clasicismo español sin contaminaciones galicistas, ni el preceptista y autoritario de la decadencia por el influjo de Boileau, ni el romanticismo tampoco, ni el neoclasicismo, cuyo progreso se acentuó en la Academia de Ciencias Sociales y de Bellas Letras de Caracas en 1869, se impusieron jamás en Venezuela con carácter dictatorial y exclusivista en el desenvolvimiento de su literatura, sino que dominaron simul-

[25] GONZALO PICÓN FEBRES: *La literatura venezolana en el siglo XIX*, Caracas, El Cojo, 1906, pág. 131.

táneamente los cuatro en el espíritu de los escritores, y por tanto, en el fondo y en la forma de las producciones literarias[26].

En cuanto al género de la novela, la orientación fue romántica.

El romanticismo que se manifestó en Venezuela a partir de 1830 fue exclusivamente literario. Según el mencionado crítico:

> Nada tuvo que hacer con la política, ni ejerció ninguna influencia sobre ella, ni causó estragos en el seno de la sociedad... ni fue sino un acontecimiento aislado, parcialísimo, de moda y de pura imitación; y si en Francia y en España el romanticismo constituyó una transformación radical en el arte y dominó todos los géneros literarios y a todos los ingenios, en Venezuela no fue sino parte de una mezcla singular en su literatura y en los hombres mismos que la cultivaron con amor, haciéndola producir flores hermosas y regalados frutos, así como adefesios, extravagencias y delirios[27].

La gran hazaña romántica concebida por Bolívar ya se había realizado. Seguía ahora la evolución romántica literaria cuyo fin había de ser la independencia literaria, el criollismo venezolano.

Al principio, los novelistas románticos venezolanos, al seguir la modalidad europea, produjeron una literatura extranjerizante. Ni el cuadro de costumbres, tan popular en Venezuela y de tanto éxito en la novela romántica americana, llegó a interesarles, atentos sólo a producir novelas históricas o de intrigas pasionales, cuyo teatro se desarrollaba la mayor parte de las veces, en países extranjeros. Esta ausencia de nacionalismo era una falta que lamentaban los críticos de la época, hasta que se escribiera la primera novela nacional en 1882.

Entre los primeros escritores que se ensayaron en el gé-

---

[26] *Ibid.*, pág. 127.
[27] *Ibid.*, pág. 131.

nero de la novela, se encuentra FERMÍN TORO (1807-1865). Representó a su país como ministro en España, Francia e Inglaterra. De sus impresiones en este último país nació la curiosa novelita *Los mártires,* que se publicó años más tarde en *El Semanario,* en 1878. Es un ataque contra "la mostruosa desigualdad de las clases", documentado con algunas notas. Una de ellas es del *Morning Chronicle* de enero, 1841, en la cual se cita el caso de una joven azotada en un hospicio. Toro hace de ella Emma, la heroína de su abreviada novelita. Su novio ha muerto atropellado en un motín de trabajadores en Irlanda, su padre muere por falta de sustento, su madre se suicida, a los dos hermanitos los recoge la policía y ella prefiere ir al hospicio antes de aceptar las atenciones de un lord. Allí muere a consecuencias de maltrato

Fermín Toro fue autor de tres novelitas más que se publicaron en las revistas de la época: *La sibila de los Andes, El solitario de las catacumbas* y *La viuda de Corinto*[28].

Siempre dentro del período inicial de la novela, apareció otra obra diminuta, sobre una venganza provocada por los ultrajes que el general Benito Boves había infligido a la familia del héroe. Según advertencia del autor, RAMÓN ISIDRO MONTES (1826-1889), apareció primero con el título de *Dos épocas de Boves* en el periódico literario *El Album* por los años 1844 a 1845. Luego se volvió a publicar con algunas correcciones y variantes en la colección de crónicas y leyendas nacionales que bajo el título de *Tradiciones populares* se editó en 1885. La novelita, de confección romántica, fue escrita cuando su autor contaba apenas dieciocho años. Su interés original se explica únicamente por el hecho de estar basada en un tema nacional y luego, tal vez por el propio prestigio del autor (poeta además) como catedrático, jurisconsulto y hombre de estado.

Las primeras obras de valor estético en la historia de la novela venezolana fueron las dos novelitas indianistas del

[28] SAMUEL MONTEFIORE WAXMAN: *A Bibliography of the Belleslettres of Venezuela,* Cambridge, Mass., Harvard University Press, 1935, pág. 136.

poeta José Ramón Yepes, *Anaida*, 1860, e *Iguaraya*, 1872. Basta con citar la influencia de Chateaubriand para indicar el estilo del discípulo romántico; un nativismo ingenuo y melancólico, realzado por algunos pasajes poéticos. Lo interesante de Yepes es que escogiera para sus novelistas un tema nacional y le diera prestigio a un género que apenas se iniciaba, no obstante la fecha tardía.

José Ramón Yepes (1822-1881), a pesar de su vocación literaria, entró en la marina por voluntad de su padre, quien pensó corregir así "su indómita voluntariedad"[29]. Las historias de sus dos novelistas se desarrollan a orillas de la laguna de Coquibacoa (Maracaibo). La isla que entrecierra su desembocadura fue teatro de la *Anaida*:

> Aquella lámina de tierra salpicada de conchas marinas, estaba cubierta de espesos manglares y elevados cocoteros; éstos, mirando al mar con sus penachos verdes, aquéllos, estancando las aguas del lago para retratar en sus espejos inmóviles y silenciosos, nidadas de palomas, pajarillos de mil colores y negras serpientes entrelazadas en su ramaje. Sobre las orillas blancas de esta isla y formando una línea de circunvalación que presentaba su frente al mar, a los bajíos y al lago, se levantaba, batida por las aguas, la tribu de los zaparas. Tamanaco era su cacique, y podía poner en pie quinientos *poraucas* o flecheros de guerra, y lanzar sobre la onda salada, al sonido del caracol caribe, hasta cien piraguas[30].

El día en que habían de desposarse Anaida y Turupén, clava Aruao, de la tribu de los aliles, su flecha de desafío por la hermosa Anaida. Calló el coro que cantaba ese día las glorias pasadas de los zaparas, lamentando la guerra perdida a los aliles. Turupén responde al reto. Después de una encarnizada lucha, vence a su rival y restablece con su victoria la supremacía de su tribu zapara.

---

[29] Julio Calcaño: *Parnaso venezolano*, Caracas, El Cojo, 1892, pág. 237.
[30] José Ramón Yepes: *Anaida, Novelas y estudios literarios*, Caracas, Americana, 1882, págs. 254-55.

Iguaraya es aún más breve. Su interés consiste en la originalidad de su historia. Los *mojanes,* o videntes, habían sacado de un aerolito un agüero al nacer Iguaraya, hija única del cacique Paipa; que sólo se casaría la doncella india en el caso de que el más valiente de los guerreros jiraharas clavase una flecha en el cielo.Taica amaba a Iguaraya. En un momento de desesperación, le vino una ingeniosa idea. El lago que reflejaba de noche la lucha, reflejaba el cielo. Tirando una flecha al aire, al caer, la clavaría al parecer en el cielo. Se convocó al pueblo. Los mojanes estaban presentes. Taica dejó volar su flecha y los mojanes no pudieron negar que se había cumplido al egüero. El viejo guerrero se mató de ira. Iguaraya creyó que la flecha de Taica lo había matado y enloqueció para siempre. Taica fue proclamado cacique de la tribu. Desde entonces ningún salvaje lo vio ni reir ni llorar.

Hasta este punto, las obritas aquí citadas apenas son esquemas de novelas. Las obras que aparecieron posteriormente fueron novelas extensas y plenamente desarrolladas, aunque de méritos muy desiguales. En 1864, GUILLERMO MICHELENA, médico, publicó *Gullemiro, o Las pasiones,* de héroe" sensible cual Lamartine; severo como Catón". Según indicación del prólogo, el autor la escribió a los veinticuatro años de edad y la publicó unos veintitrés años más tarde, suprimiendo la mitad y sin corregir el resto. Es una farragosa novela pasional que llega al crimen calculado, de la cual pretendió el autor sacar consideraciones filosóficas y morales mediante interminables pasajes discursivos.

En 1868, JUAN ALFONSO (*Aecio*) dio a conocer su novela *Un drama en Caracas,* también de complicado enredo pasional y de empalagoso estilo sentimental. Alcanzó, no obstante, considerable nombradía en su época y elogios excesivos de la crítica[31].

Ya para 1865, JULIO CALCAÑO (1840-1918) se había distinguido con la mejor novela histórica de la serie romántica *Blanca de Torrestella.* En 1875, EDUARDO BLANCO (1838-1912) tuvo su primer triunfo con *Una noche en Ferrara.*

---

[31] PICÓN FEBRES: *op. cit.,* pág. 367.

Fueron ellos los dos novelistas sobresalientes del romanticismo venezolano.

Por aquél período, FELIPE TEJERA (n. 1846), poeta y literato, publicó en el periódico *La Tertulia* "una desgraciada y extravagante novelita", *La expósita*[32]. En otros diarios posteriores fueron apareciendo en las secciones de folletín las primicias literarias del novelista JOSÉ MARÍA MANRIQUE (*Edmond Aimé*, 1846-1907): *La adnegación de una esposa, Preocupaciones vencidas* y *Eugenia,* tres novelitas de la sociedad contemporánea sobre dramas de familia, escritas sin gran aliño y con una tendencia moralizante[33].

Igual tendencia caracteriza la obra posterior de MANRIQUE, *Los dos avaros,* novela de mayor aliento, publicada en 1879 con un prólogo encomiástico de Eduardo Blanco. Manrique quiso presentar en su obra el contraste entre dos tipos totalmente opuestos, mal juzgados por la sociedad. El uno es conocido como avaro porque nadie sabe que distribuye su fortuna secretamente para ayudar a los demás. El otro, espléndido ante la sociedad, resulta ser una persona ruín que destruye hasta la felicidad de sus hijas con tal de favorecer sus negocios. Al final, cada cual recibe su justa retribución. La arbitrariedad de la historia y la falta de estilo en la obra destruyen toda posibilidad de mérito.

José María Manrique comenzó a escribir en 1872 bajo el pseudónimo de *Nemo,* publicando artículos filosóficos y morales y cuadros de costumbres. Manrique compuso tres dramas, *Los dos diamantes* (1879), *Un problema social* (1880) y *El divorcio* (1885). Aunque se inició en época romántica, fue escritor de transición. Su crítico contemporáneo, Felipe Tejera, ya notó en él un deseo de apartarse del estilo de las novelas de Víctor Hugo, Dumas y Sue, para concretarse a describir "escenas que advertimos en cada hogar, tipos conocidos y comunes, sentimientos positivos o posibles[34]. En 1897 se editó su *Colección de cuentos,* formada, según el

---

[32]   *Ibid.,* pág. 373.
[33]   JOSÉ GÜEL Y MERCADER: *Literatura venezolana,* Caracas, La Opinión Nacional, 1883, II vol., págs. 235-46.
[34]   FELIPE TEJERA: *Perfiles venezolanos,* Caracas, Sanz, 1881, pág. 438.

prefacio de Eduardo Calcaño, por ejemplares que en su mayoría habían circulado con aplauso en varios periódicos hispanoamericanos, así como en España. Entre ellos se halla la novelita *Abismos de corazón,* una abstracción intuitiva en monólogos sentimentales mediante los cuales se entrevé una tragedia de amor.

Del grupo de novelistas románticos mencionados, se destacaron JULIO CALCAÑO y EDUARDO BLANCO. Perteneció Calcaño a una ilustre familia de poetas y escritores. Aparte de su carrera pública, se distinguió como literato por su obra *El castellano en Venezuela* y su antología *Parnaso venezolano.* Su novela *Blanca de Torrestella* fue bien acogida por el público y aún en 1901 obtuvo una tercera edición, revisada por el autor.

Calcaño se esmeró en crear en su novela un verdadero ambiente histórico con referencias a las rivalidades entre Carlos V y Francisco I y al poder eclesiástico en tiempos de Paulo III. Cuando comienza la historia, la elección de un jefe para la nueva Compañía de Jesús era inminente. En torno a las posibilidades del codiciado nombramiento surge la intriga de la novela en cuanto a su parte histórica. Víctima de la trama es Blanca de Torrestella, hija de un emisario de Carlos V y sobrina de un cardenal que ambicionaba dominar la corona española con el mando de la Compañía. Trabajaba en favor del cardenal, bajo el nombre de Fernán Gutiérrez, el marqués de Montana, consejero del infante Felipe. Al llegar a Florencia y pretender el afecto de Blanca, encuentra como rival al conde de Pazzi, de quien había jurado venganza, años atrás, por una historia escabrosa de familia. Fernán logra llevarse a Blanca para España. La novela termina, no obstante, con un desenlace sumamente trágico para todos.

Entre los años 1872-73 aparecieron en *La Revista* los folletines de una novela de Calcaño de menos valor, *El rey de Tebas.* Es una historia triste de amor entre Alberto y Aurora y la olvidada india Alida. Aparecen en ella, como caricaturas, la figura de un inglés y la de un americano, a quien le toca ser el malvado de la historia[35].

Durante sus años de producción literaria, Calcaño fue escribiendo una serie de cuentos y novelitas editada por él mismo en 1913 en un tomo de *Cuentos escogidos*. En ellos se puede observar una variación de estilo desde *La leyenda del monje* (1866), de un romanticismo intensamente melodramático, con escenario en Venecia, siglo XVI, hasta la despejada novelita nacional *Letty Somers,* de estilo realista, con una historia sentimental.

Eduardo Blanco se ensayó en el género novelesco con dos cuentos *Vanitas vanitatum* y *El número 111*. Según su nota "Al lector", circularon en dos periódicos literarios de Caracas por el año 1873 con el pseudónimo de *Manlio*. En 1882 las reprodujo con el título de *Cuentos fantásticos*. En 1875 Blanco estableció su reputación como novelista con *Una noche en Ferrara, o la penitente de los teatinos*. Luego escribió un drama, *Lionfort* (1879) y después, *Venezuela heroica. Cuadros históricos de la independencia.* Felipe Tejera cuenta en sus *Perfiles venezolanos* (1881) que la primera edición de dos mil ejemplares de esta obra, por la cual más se recuerda hoy a Eduardo Blanco, fue agotada en pocos días. Bien encaminado en el tema nacional, en 1882 publicó su novela *Zárate*. A su pluma pertenecen también *Tradiciones épicas y cuentos viejos.*

La acción de *Una noche en Ferrara* data del siglo XVIII y tiene todos los resortes dramáticos que pudieran adjudicarse a una obra teatralmente romántica. Guido, el héroe, se enamora a primera vista de Leonora en Venecia, sólo para enterarse poco después que ha sido casada con el conde de San Germano, tío y protector de él. La despedida se efectúa en las sombrías naves de la iglesia de los teatinos. La historia se complica con la impertinencia de un marqués de Sforzzi y para salvar el honor de Leonora ante las confusas sospechas del viejo conde, Guido se ve obligado a

[35] DILLWYN FRITSCHEL RATCLIFF: *Venezuelan Prose Fiction,* Nueva York, Instituto de las Españas en los Estados Unidos, 1933, pág. 31.

combatir en doble duelo, primero con Sforzzi, a quien hiere mortalmente, y luego con su tío, bajo el disfraz del marqués. El lugar es el consabido campo junto a las ruinas de una antigua capilla cerca de un cementerio. En el ambiente teatral entra también una visión de una danza macabra revivida del medioevo por el gusto romántico hacia lo tétrico. Como curiosidad vale la pena citar un pasaje:

> De todas las sombras, de las grietas de las ruinas, del follaje de los árboles, y de los mil antros pavorosos que fingía la oscuridad, vio surgir, como aves nocturnas evocadas por el genio de los sepulcros, numerosos fantasmas que tumultuosamente corrieron a su encuentro describiendo caprichosos giros, hasta rodearle en un inmenso círculo.

> Vestían estos fantasmas harapos en los que resaltaban pedazos de brocado, cintas de oro y entrenzados de perlas y rubíes. Un pie descalzo, seco y ennegrecido por el polvo de la tumba, holgado el otro, entre pantufla de raso descolorido, bordada de esmeraldas. Mantos flotantes, raídos por el soplo de la muerte; túnicas de encajes que se deshacían al contacto del aire, y vaporosos velos que tenían sobre las frentes coronas de rosas y azahares marchitos, que lucían como manchas de lodo sobre el blanco y terso cráneo roído por el traidor insecto del ataúd[36].

La tendencia extranjerizante en la literatura venezolana persistía siempre. No había aún publicado Blanco su novela nacional *Zárate* (ni, parece, Calcaño su novelita *Letty Somers*), al escribir Felipe Tejera en 1881:

> Cuando nuestros poetas y prosadores dejen volar con alas propias el ingenio, escriban nuestra historia, canten nuestras glorias, reproduzcan nuestras costumbres, se familiaricen con los ideales de la patria, las letras tendrán la uniformidad de carácter que echa-

---

[36] EDUARDO BLANCO: *Una noche en Ferrara*, Caracas, Imprenta Federal, 1875, pág. 200.

mos hoy de menos, y representarán la índole, tendencias y civilización de nuestras sociedades[37].

En 1882 apareció, or fin, la novela de sabor autóctono,
Zárate. Es la más recordada del grupo romántico, tal vez
por la fama que obtuvo Eduardo Blanco con sus cuadros
históricos, tal vez por la figura simpática del héroe-bandido,
pues lo cierto es que su estilo no pasa de regular. La novela
representa un momento de la historia venezolana desde el
punto de vista de un pequeño pueblo durante el período de
reconstrucción nacional, cuando amenazaba la paz de la
comarca la presencia de unos bandos de salteadores. Aumen-
ta el color local de la obra unos ligeros cuadros de costumbres, los primeros que se incorporan al género de la novela.

Zárate es el tipo de bandido romántico que se ve arras-
trado al mal. Capta las simpatías del lector por esa inexpli-
cable mezcla de temeridad y de arbitraria generosidad. Sin
saberlo, se encuentra implicado en un drama de familia en
la comarca. El juez del pueblo, figura caricaturesca de la
maldad y de la avaricia, quiere a la fuerza obtener la mano
de Aurora y la ruina de su rival, el capitán Delamar. El joven está a la cabeza del destacamento que persigue a Zárate. Levantando falso testimonio, lo acusa de cómplice del
bandido. Aurora consiente al matrimonio cuando el juez
promete rectificar el error de la sentencia de muerte im-
puesta a Delamar. Mientras tanto, Zárate se entera de la
situación. Se entrega a Páez y justifica a Delamar. El general Páez lo perdona bajo la promesa de Zárate de disolver
su bando. Defender a la familia de Aurora era cuestión de
honor para Zárate. Una vez el padre de la joven le había
dado albergue y estando enfermo, lo había cuidado personal-
mente. Más tarde, en una de sus visitas a la hacienda, cuando se hacía pasar en dichas ocasiones como el llanero José
de Oliveros, había conocido a Delamar y en silencio le había agradecido el elogio de hombre valiente que éste hiciera
de Zárate. Zárate vuelve a la hacienda pensando también
en la oportunidad de vengarse del juez por la muerte de su

[37] Tejera: "Introducción", *op. cit.*, pág. xvi.

madre. Llega en el momento preciso en que va a efectuarse el matrimonio. Delamar, libre ya, se presenta también y sin saber la deuda que tiene con Zárate, lo mata en el encuentro.

Zárate es la última figura romántica. En la década del '80 se desvanecieron los vestigios del romanticismo para dar lugar a nuevas orientaciones literarias. En el teatro predominaba ya la escuela realista con las obras de Echegaray por modelo[38]. En la novela, desde 1880 los jóvenes intelectuales leían a Zola[39]. En las aulas de la Universidad Central, el alemán Dr. Adolfo Ernst, nombrado por Guzmán Blanco, propagaba el darwinismo en su cátedra de ciencias naturales. Al mismo tiempo, el Dr. Rafael Villavicencio daba su curso de historia universal, aplicando a su filosofía las doctrinas positivistas de Augusto Comte[40].

Los novelistas nacionales rompieron a su vez con la tradición romántica. En 1884, TOMÁS MICHELENA, gran admirador de Zola, penetró en el campo del naturalismo con su novela *Débora*, y en 1888, procedió con más seguridad GIL FORTOUL con su obra *Julián*. La novela romántica, constante hasta entonces en su estilo, cedió a las nuevas normas cuando apenas había comenzado a nacionalizarse.

[38] TEJERA: *op. cit.*, pág. xv.
[39] PICÓN FEBRES: *op. cit.*, pág. 377.
[40] *Ibid.*, pág. 194.

XII

ECUADOR

Dos grandes figuras dominan el período romántico de la literatura ecuatoriana: JUAN LEÓN MERA (1832-1894) y JUAN MONTALVO (1832-1889). Ambos nacieron en la pequeña ciudad serrana de Ambato. Los dos fueron románticos, pero de carácter diametralmente opuesto. Mera era católico y conservador, y partidario, además, del gobierno dictatorial y teocrático de Gabriel García Moreno. Montalvo era liberal. Y así como Mera fue innovador romántico en las letras, Montalvo fue el más castizo y acérrimo conservador.

En el orden político, muy pronto había de surgir un antagonista entre estos dos idealistas contrarios. En 1865, cuando Montalvo publicaba *El Cosmopolita,* en el que fue glosando la política del gobierno cesante de García Moreno, Mera era ya ferviente defensor del partido garciano[41]. Las polémicas por aquel tiempo fueron muy reñidas. Ni se quedó atrás el mismo García Moreno. Fueron célebres en sus días los sonetos que escribió contra los ataques de *El Cosmopolita*[42].

Las mencionadas polémicas entre Montalvo y Mera se recrudecieron al extremo de acabar en insultos personales. Cuando García Moreno volvió al poder (1869), Montalvo tuvo que salir del país, pero siguió desde afuera sus ataques políticos contra la dictadura. Si Mera llegó a desempeñar numerosos cargos públicos, para Montalvo la polémica fue su única vía de actividad política. Al morir asesinado García Moreno, pudo decir triunfante desde el extranjero: "¡Mi pluma lo mató!". No cesó con eso su personalísimo combate en la contienda política. Su obra *Las catilinarias* es el compendio de su crítica acerba contra el nuevo gobernante, el general Ignacio de Veintimilla.

[41] DARÍO C. GUEVARA: *Juan León Mera. El hombre de cimas,* Quito, Ministerio de Educación Pública, 1944, pág. 163.
[42] ISAAC J. BARRERA: *Literatura ecuatoriana,* Quito, Editorial Ecuatoriana, 1939, pág. 136.

Veintimilla también fue una figura política muy discutida de la época. Su sobrina MARIETTA DE VEINTIMILLA dejó escritas en sus *Páginas del Ecuador* una vindicación de Veintimilla en forma de relato histórico, con una parte de vívida biografía de la autora misma, en lo que se refiere a su propia actuación durante la revuelta de 1883. Hubo quien refutara las afirmaciones de Marietta Veintimilla. La obra en sí tiene pasajes acertados y se lee como novela. Ricardo Palma elogió el estilo de esta intrépida escritora que desmentía por su delicadeza y belleza el temperamento agresivo reflejado en su obra[43].

Mera escribió sobre Veintimilla sus *Cartas a Germánico* (inéditas), especie de catilinarias contra el nombrado general[44]. Durante la dictadura de Veintimilla, Mera y Montalvo se aproximaron algo como opositores al régimen. De aquella época se cuenta la anécdota de los dos antiguos adversarios que, al encontrarse en un paseo a orillas del río Ambato, se saludaron cordialmente a bastonazos. No se sabe de fijo cómo empezó la pelea, pero cuando el cholo Paredes vino a la defensa de su patrón, Mera exclamó: "¡Alto! Aquí peleamos entre hombres y ya terminaremos como caballeros". Se tomaron del brazo y entraron como amigos en la ciudad. El sombrero perdido por Montalvo le fue devuelto. El bastón del célebre polemista se dice que Mera lo guardó como reliquia hasta el último día de su vida[45].

A pesar de la tirantez que existiera entre ellos, Mera no dejó de reconocer el talento del gran ensayista, pero siempre con reparo a su ideología, como dijo en una ocasión: "Aludimos a don Juan como hombre de talento y hábil escritor, no porque nos caigan en gracia sus errores, ni porque seamos partidarios de su escuela literaria"[46].

Precisamente a causa de su ideología liberal, Montalvo nunca fue admitido a la Academia Ecuatoriana de la Len-

[43] *Cf.* RICARDO PALMA: "Carta a Marietta Veintimilla", *Tradiciones peruanas,* Madrid, Espasa-Calpe, 1936, V vol.
[44] GUEVARA: *op . cit.,* pág. 273.
[45] *Ibid.,* pág. 167.
[46] JUAN LEÓN MERA: "Tomás Moncayo Avellán y su memoria al Instituto Geográfico", cit. por Guevara, *op. cit.,* pág. 220.

gua, no obstante su reconocida distinción como escritor.
La institución americana (fundada en 1875) era tan celosa
de su integridad conservadora como la española. Juan León
Mera fue socio fundador, con el poeta Julio Zaldumbide y
el literato Julio Castro, a cuya actuación se le debía la creación de la academia ecuatoriana.

El liberalismo de Montalvo se manifestó únicamente en
el campo de sus ideales políticos, pues en las letras fue el
más castizo y tradicional escritor. Si el tiempo ha reducido
a un valor muy relativo las polémicas que lo hicieron célebre, hoy día su fama como escritor se trasluce en los *Capítulos que se le olvidaron a Cervantes,* y en sus ensayos que
forman sus *Siete tratados* (1882) y su *Geometría moral* (póstuma). Los *Capítulos* (de edición póstuma también) fueron
escritos como una sátira en la cual Montalvo sacaba a sus
enemigos como enemigos de Don Quijote. Luego revisó la
obra suprimiéndole las alusiones[47].

JUAN LEÓN MERA, fervoroso reaccionario, fue al contrario, gran innovador literario. Su novela *Cumandá* inicia cronológicamente la novela ecuatoriana[48].

Mera es una verdadera figura romántica americana. En
el último capítulo de su *Ojeada histórico-crítica sobre la
poesía ecuatoriana,* 1868, expone su estética literaria con el
mismo lema de Esteban Echeverría: originalidad autóctona, independencia literaria. Como Echeverría, expuso su
estética en relación a la poesía, pero en principio se aplica-
ba a todos los géneros.

El americanismo es la preocupación fundamental de la
estética de Mera.

¿Por qué no tenemos una literatura original? —se
pregunta—. ¿Por qué vaciamos nuestros pensamientos
en moldes europeos? Queremos dar a nuestras obras
una traza de cansada vejez que está en contradicción

---

[47] PEDRO HENRÍQUEZ UREÑA: *Las corrientes literarias en la
América Hispana,* México, Fondo de Cultura Económica, 1949,
pág. 157.
[48] ANGEL F. ROJAS: *La novela ecuatoriana,* México, Fondo de
Cultura Económica, 1948, pág. 65.

con el mundo de bellezas originales, frescas y risue-
ñas entre las cuales se desliza nuestra vida, cual si de
esa manera pudiéramos atraernos la estimación de la
sociedad ilustrada de entrambos hemisferios; y no se
piensa en el fastidio que puede causar la reproducción
de unas mismas líneas y colores en nuestros cuadros,
y la repercusión de unas mismas voces en nuestros
instrumentos, cuando al contrario le agradaría mucho
que le presentásemos objetos brotados del seno de
América, desarrollados al suave calor del sol americano, nutridos con sustancias especiales y ataviados
con galas en nada semejantes a las que nos vienen de
ultramar[49].

El tema del americanismo expuesto en la *Ojeada* en relación a una evaluación histórica de la conquista española
provocó una gran polémica hispana. Como curiosidad literaria de un tema ya pasado, nos quedan hoy día la parte de
las célebres *Cartas americanas* que Juan Valera dirigió al
literato ecuatoriano hacia 1889. Acusado Mera de antiespañol por "sobrado americanismo", se justificó ante las recon-
venciones del célebre crítico, demostrando que nada tenía
de antiespañol. La dignidad de su defensa fue el orgullo de
sus compatriotas (aun de su enemigo político Abelardo Moncayo)[50].

El indianismo de Mera en sus ensayos poéticos fue objeto de una amonestación literaria, esta vez del académico
catalán Antonio Rubió y Lluch. Le pareció a este erudito
literato que el poeta ecuatoriano había ido demasiado lejos
en sus tentativas de dar originalidad y carácter propio a la
literatura americana. Sus alusiones incaicas en las *Melodías
indígenas* resultaban tan artificiales como el amaneramiento
temático oriental o trovadoresco del romanticismo europeo. Mera aceptó como justa la observación, pero hecha es-

---

[49]   MERA: *Ojeada histórico-crítica sobre la poesía ecuatoriana
desde su época más remota hasta nuestros días,* Barcelona, J. Cunil
Sala, 1893, págs. 424-25.
[50]   GUEVARA: *op. cit.,* pág. 236.

ta concesión a la crítica, volvió a defender el tema del americanismo:

> ¿Para qué mendigar en casa ajena, si tenemos en la propia cuanto necesitamos? En la historia de los indios, en la de la conquista, en la de la colonia, en la de la independencia, y al sur y al norte, en todas partes abundan hechos históricos o fabulosos, personajes de todo género, creencias que se levantan hasta la verdad o descienden hasta lo absurdo, costumbres variadísimas y teatros admirables, que se prestan a los cantos del poema, al enredo de la novela, a los fantásticos caprichos de la leyenda y a los cuadros de distinto género para los cuales la pluma usurpa las habilidades del pincel[51].

Lo mismo que los primeros maestros del romanticismo americano, Mera supo apreciar el inestimable patrimonio de la lengua:

> No decimos que la literatura sudamericana debe nunca dejar de ser española por la forma y la lengua; muy al contrario, nos place que se observen las leyes del buen gusto castellano, y somos entusiastas defensores del habla que trajeron nuestros mayores[52].

Mera también defendió la necesidad de incorporar vocablos indígenas al español cuando en la traducción no guardaren el significado original. Por ejemplo, dice:

> Si para expresar aquel aguacerillo menudo y ralo que cae a veces mientras quema el sol, y que enferma y daña las plantas, empleamos la voz *llovizna,* no habremos dado idea ninguna de lo que conocemos con el nombre de *lancha*[53].

El americanismo de Mera se manifestó en un intento de eclecticismo literario. Primero afirmó el deseo de indepen-

[51] MERA: Carta a Antonio Rubio y Lluch, 1892, "Nuevos apéndices", *Ojeada,* pág. 602.
[52] MERA: *Ojeada,* pág. 425.
[53] *Ibid.,* pág. 432.

dencia que se debía tener de toda escuela, clásica o romántica, en el prólogo que añadió a su segunda edición de *La virgen del sol* (1887). Unos años más tarde expresa su supuesto eclecticismo en su carta dirigida a Rubió y Lluch:

> Yo no me he alistado nunca en ninguna escuela, ni avenídome con ningún jefe. ¡Y dirá Ud. que no soy todo un republicano de la América Española!... Unas veces he llamado a las puertas de una escuela, otras veces he penetrado en otra para dejarla luego; ya he ajustado la mano a un clásico peinado a lo Luis XIV, ya a un romántico de desgreñada cabellera; ora he intentado mojar la pluma en el tintero de Esopo, ora convertirla en rebenque de Juvenal, ora en la saeta de Marcial; y para todo esto yo no sé a dónde se me han ido mis aficiones americanistas. Sin embargo, nunca hice caso omiso del arte, y para estudiarlo y comprenderlo a mi modo, me acogí a uno como eclecticismo literario. Puede que esto haya sido genial; así tal vez me hizo la naturaleza; pero puede también haber nacido de las circunstancias algo anormales que rodearon mi juventud; mi poderosa inclinación al estudio estuvo frecuentemente contrariada por la falta de elementos, que tenía más fuerza que ella. Carecía, sobre todo, de un maestro en materia de poesía, a cuyos consejos y dirección me atuviese[54].

Por falta de recursos en la familia, Mera nunca tuvo una educación formal. A los trece años, según cuenta en sus *Memorias,* se dedicó al estudio de la literatura y al dibujo. El primer libro de poesías que obtuvo fue uno de Martínez de la Rosa. Luego leyó dos tomos de José Zorrilla. "Me encantaron", recuerda. "No los leí, los devoré... Martínez de la Rosa y Zorrilla fueron los que avivaron en mí el sentimiento poético"[55].

En la finca de su tío se familiarizó con el manejo del campo, simpatizó con los indios y antes de los veinte años

[54] MERA: Carta a Rubió, *op. cit.,* pág. 607.
[55] GUEVARA: *op. cit.,* pág. 42.

dominaba el quechua. Pronto alcanzó tanto mérito como paisajista que pudo vender sus acuarelas. Se marchó a Quito para perfeccionarse en la pintura y allí conoció al poeta romántico Zaldumbide. Alentado por él y el célebre historiador ambateño Pedro Fermín Cevallos, decidió publicar sus primeros ensayos poéticos. A los veintiséis años Mera era "poeta indiano naturalista, romántico y platónicamente erótico"[56].

En la novela, su profesado eclecticismo se redujo en su prosa a un estilo correcto, medido, en que se da cabida a una exhuberancia armoniosa propia del romanticismo, pero libre de toda exageración o amaneramiento. De ello es ejemplo perfecto *Cumandá*.

Cumandá, o Un drama entre salvajes es una de las obras maestras de la literatura hispanoamericana. En su género indianista sólo podría compararse artísticamente con *Tabaré*. En su tiempo fue muy bien acogida por el público[57]. Es más, recibió el tributo más apreciado de todos: el elogio de la crítica española. A Juan Valera le pareció la obra, después de un cuidadoso estudio, "lo más bello que como narración en prosa se ha escrito en la América Española"[58]. José María Pereda, aún más, pasó por alto los reparos que le hiciera Valera, diciendo: "No solamente no hallo tacha que ponerle, sino que tampoco le conozco igual entre las de su clase que recuerdo"[59]. Pedro Antonio de Alarcón prologó con entusiasmo la edición de 1891. José de Alcalá Galiano reiteró la admiración de los tres autores mencionados en su prólogo a los artículos costumbristas de Mera, *Tijeretazos y plumadas*.

Mera elaboró la historia de *Cumandá* poetizando un cuento verídico que le habían hecho y que él, con su habitual costumbre de apuntarlo todo, tenía guardado entre sus

[56]   *Ibid.*, pág. 64.
[57]   *Cf.* Pedro Fermín Cevallos: "Apéndice" (*Cumandá*), *Resumen de la historia del Ecuador*, Guayaquil, La Nación, 1889, VI vol.
[58]   Juan Valera: *Cartas americanas*, Madrid, Imprenta Alemana, 1916, II vol., pág. 171.
[59]   José María Pereda: Carta a José Trajano Mera, 1892, cit. por Guevara, *op. cit.*, pág. 127.

escritos. Un anciano de una tribu india había tomado por esposa a una indiecita. Al morir éste, quería enterrar con él a la joven, como era costumbre, por ser ella su favorita entre las esposas. La niña huyó y llegó a un pueblecito cristiano cuyo teniente se compadeció de ella, la bautizó y la adoptó. Cuando vinieron los indios a reclamarla, se negó a devolverla[60].

Escribió Mera su novela bajo la influencia de Chateaubriand y James Fenimore Cooper, por quienes había expresado más de una vez su admiración. Además, se han señalado en la obra algunos puntos de semejanza con la de Bernardin de Saint Pierre, *Paul et Virginie*[61]. De la composición de su novela, dice Mera en el prólogo: "Refresqué la memoria de los cuadros encantadores de las vírgenes selvas del oriente de esta República; reuní las reminiscencias de las costumbres de las tribus salvajes que por ellas vagan; acudí a las tradiciones de los tiempos en que estas tierras eran de España, y escribí *Cumandá*"[62].

Cumandá es un poema en prosa. Caracteriza el ambiente poético los apóstrofes elegíacos del diálogo, las referencias a la melancolía consoladora de la naturaleza, las observaciones filosóficas derivadas de ella, la idealización de los indios sutilmente encubierta por detalles pintorescos de costumbres indígenas, el patetismo de la historia misma, y sobre todo, los maravillosos paisajes románticos que el autor pinta de su tierra.

Llevados por el hechizo de su arte, aún hoy día nos acogemos gustosos a la realidad artística que crea en su novela. Aceptamos a Cumandá y la recordamos como si hubiera existido. Es una de las raras ocasiones en la novela romántica en que la heroína se distingue con tanta personalidad.

La nota dominante en el arte de Mera es su maravillosa cualidad paisajista. Son célebres las primeras páginas de su obra en que describe diversos panoramas de la cordillera andina con precisión realista, aunque siempre con la emo-

[60] GUEVARA: *op. cit.*, pág. 127.
[61] CONCHA MELÉNDEZ: *La novela indianista en Hispanoamérica*, Madrid, Hernando, 1934, pág. 159.
[62] MERA: *Cumandá*, Quito, J. Guzmán Almeida, 1879, pág. 1.

ción del poeta romántico. En su *Catecismo de geografía del Ecuador* (1873), Mera hizo una descripción de los Andes ecuatorianos con sumo gusto literario. "Esa bella descripción del Oriente ecuatoriano", señala Darío C. Guevara, "fue el preludio del realismo geográfico de *Cumandá*"[63].

En otro célebre pasaje de la novela, Mera combina su arte descriptivo con su genio dramático. Tal es todo el relato de la fuga de Cumandá por las selvas, del cual merece citarse la descripción de una tormenta en las selvas vírgenes:

> Multitud de aves se acogen piando al abrigo de sus nidos o de sus pabellones de musgos y lianas, y una partida de micos mete una espantosa bulla al saltar de rama en rama en la precipitada fuga en que la pone la tempestad. Las nubes han bajado hasta tenderse sobre la superficie de la selva como un inmenso manto fúnebre; las sombras se aumentan, y comienza la lluvia. La primera descarga suena estrepitosa en los artesones de verdura, y solo desciende hasta el suelo tal cual gota acompañada de la hoja que se desprendió con ella. Pero en seguida el cielo del bosque arroja el agua que recibió de las nubes y la tempestad de abajo es más recia que la desencadenada encima. Hojas, ramas, festones enteros vienen a tierra; luego son árboles los que se desploman, y aun animales y aves que han perecido aplastados por ellos o despedazados por el rayo que no cesa de estallar por todas partes. Por todas partes, asimismo, corren torrentes que barren los despojos de las selvas, y los llevan arrollados y revueltos a botarlos a los ríos principales. Cumandá se ha guarecido bajo un tronco, único asilo para estos casos en aquellas desiertas regiones; de pies, pero

---

[63] GUEVARA: *op. cit.*, pág. 151. Darío C. Guevara, biógrafo contemporáneo, y luego Angel F. Rojas fijan la primera publicación de *Cumandá* en 1879, descartando la fecha de 1871 dada en obras anteriores por Isaac J. Barrera y Concha Meléndez. En la edición de 1879, Mera presenta su novela en una carta dirigida a la Real Academia Española en 1877, al ser nombrado miembro correspondiente.

media encogida en su estrecho escondite, el espanto grabado en el semblante, temblando como una azucena cuyo tallo bate la onda del arroyo, y puestas ambas pálidas manos sobre la reliquia que pende del cuello, siente crugir la tierra y los árboles a su espalda y a sus costados, y gemir uno tras otro los rayos que se hunden y mueren en las ondas que pasan azotando la orilla en que descansan sus plantas...

Una hora larga duró la tempestad. Cuando cesó del todo, la noche había comenzado, y era tan oscura que aun a la vista de un salvaje apenas podía distinguir los objetos en medio del bosque. A los relámpagos siguieron las exhalaciones que, rápidas y silenciosas iluminaban los senos de aquellas encantadoras soledades. Al sublime estruendo de los rayos y torrentes sucedió el rumor de la selva, que sacudía su manto mojado y recibía las caricias del céfir, que venía a consolarla después del espanto que acababa de estremecerla. Las plantas, como incitadas por una oculta mano, erguían sus penachos de tiernas hojas, y los insectos que habían podido salvarse de la catástrofe levantaban las voz saludando la calma que se restituía a la naturaleza. Algunas aves piaban llamando al compañero que había desaparecido, y que ya no volverían a ver ni con la luz del día; el bramido del tigre sonaba allá distante, como los últimos tronidos de la tormenta. ¡Qué rumores, qué sonidos, qué voces! ¡Quejas, frases misteriosas, plegarias elocuentes de la creación elevadas a Dios que ha querido conmoverla con un tremendo fenómeno, que ni la lengua ni el pincel podrán nunca bosquejar![64].

El poder dramático de Mera en narrar adquiere extraordinario realce en la novelita *Entre dos tías y un tío*. Si se diera el relato de su historia, no se podría apreciar por él la inesperada violencia de la realidad que sienten los personajes en la última escena. En esta obra se combinan otra

[64] MERA: *op. cit.*, págs. 169-70.

vez la narrativa y el arte paisajista del autor en el atropellado viaje a caballo de Quito a Ambato, viaje fatal que se ve forzada a tomar la heroína por la necia voluntad de su tío. Los detalles del campo son del todo realistas. En esta novelita (muy celebrada por Valera) se entra de lleno en el costumbrismo. Ejemplo de ello es este cuadro de baile tomado de una merienda en el campo:

> Un mozo de cara en vísperas de barbar invitó a una señorita que, no obstante su deseo de lucirse, se excusó con un "si no sé" y un "no puedo", palabras rituales en semejante ocasión en boca de nuestras pudorosas damiselas. El mancebo le tomó la mano y la obligó a ponerse de pies. Ella, con los ojos bajos, colorada y sonreída, tiró a un lado el pañolón, echó las trenzas atrás, cruzó un pañuelo de seda por las espaldas, asidas las esquinas con la mano izquierda sobre el hombro y con la derecha en la cadera, y esperó que su compañero comenzara. Hízolo en seguida, la una mano en el cinto y batiendo la otra en alto su sombrerito de paja[65].

Entre dos tías y un tío vale artísticamente tanto como *Cumandá* y por su costumbrismo, tal vez esté más próxima al gusto moderno.

Mera se había iniciado antes en el estilo costumbrista en *Los novios de una aldea*. En 1872 se empezó a publicar esta obra como folletín de *La Prensa* de Guayaquil. Luego fueron retirados los originales de la imprenta por orden del autor mismo. Mera sintió que había retratado con demasiado realismo ciertos personajes que vivían en la ciudad de Ambato y podría interpretársele mal[66].

Entre dos tías y un tío apareció en la *Revista Ecuatoriana* en 1889. Al año siguiente en la misma revista salió *Porque soy cristiano*, "anécdota que tiene ribetes de novela", y en la que se ejemplifica el poder de la religión. En 1893

---

[65] MERA: *Entre dos tías y un tío, Novelitas ecuatorianas*, Madrid, Fe, 1909, pág. 10.
[66] MERA: *Historieta, op. cit.*, pág. 241.

la revista publicó otra novelita de mayor extensión, *Un matrimonio inconveniente*. En ella se pasa Mera del todo al estilo realista y su arte decae visiblemente. "Esplín", "positivista", "materialismo" son los vocablos nuevos. El protagonista pertenece al grupo de los "petits sauvages" que necesitan el imperioso "bañito de cultura" de Europa y vuelven luego unos ateos materialistas, poco capacitados para sufrir los reveses de la vida. El joven con quien se casa la heroína se suicida al enterarse de la quiebra de sus negocios.

El tema del indio que Mera trató en forma romántica en *Cumandá,* aparece luego como sujeto de reivindicación social en una *Historieta.* En ella Mera acusa directamente al poder legislativo de la nación por su indiferencia hacia la raza india, "trabajada y fatigada por los vicios y miserias que le han hecho sus dominadores"[67].

Mera es autor romántico por excelencia y maestro de la prosa romántica, emotiva o costumbrista. En la novela romántica de prosa lírica no tuvo rival. En la novela costumbrista rivaliza con Mera, Carlos R. Tobar con su simpática novelita *Timoleón Coloma.*

En un período dominado por tan grandes personalidades literarias como Mera y Montalvo, apenas se le ha dado el realce que le corresponde como escritor a CARLOS R. TOBAR (1854-1920). Tal vez sea esto debido a las mismas dotes del insigne ecuatoriano, cuyo nombre ha pasado a la posteridad como autor de una doctrina de derecho internacional. Médico de profesión, desempeñó, además, varios cargos administrativos y diplomáticos. Por el mérito de su obra *Consultas al Diccionario* fue recibido en la Academia de la Lengua. Como costumbrista escribió dos libros, *Brochadas* (1884) y *Más brochadas* (1888), que si no tienen gran valor individual como colecciones, pudieron servir de preparación para su novelita *Timoleón Coloma.* Tobar escribió otra novela de mayor aliento, *Relación de un veterano de la independencia,* 1895, obra de gran valor según el historiador y crítico Isaac J. Barrera, aunque desgraciadamente alcanzó poca

[67] GUEVARA: *op. cit.,* pág. 27.

difusión[68]. Hoy Angel F. Rojas la considera como la mejor novela histórica ecuatoriana[69].

Timoleón Coloma aparece en el segundo libro de artículos de Tobar (1888). Tiene por subtítulo *Dibujos de costumbres quiteñas.* Tobar advierte en el prólogo:

> No me he propuesto escribir una novela. No. Propúseme, relatando la vida de un hombre, bosquejar unos cuantos cuadritos de costumbres[70].

Los cuadros en *Timoleón Coloma,* presentados en el estilo jocoso y burlón del costumbrista satírico, forman una historia amenísima de la vida de un escolar. Timoleón en su adolescencia lee a *Paul et Virginie* y *Atala,* libros prestados clandestinamente en el colegio por "un niño pálido, flaco y lánguido (acaso por obra de sus novelas)[71]. A la salida del colegio Timoleón asiste a su primer baile, luego suspira con su primer amor. Se suceden escenas de la vida quiteña y cuadros campestres. Por fin Timoleón cumple los deseados veintiún años y pasa a la categoría de "ciudadano". Con la certeza de que llega a casarse con la niña de sus primeros ideales, termina la novelita.

Al comenzar la década del '90 concluye el período romántico en el Ecuador. 1895 es fecha de revolución liberal en la política. Ya los novelistas que se distinguen en el nuevo período liberal escriben con otras preocupaciones y pertenecen a la escuela realista.

---

[68] BARRERA: *Literatura ecuatoriana,* pág. 196.
[69] ROJAS: *La novela ecuatoriana,* pág. 61.
[70] CARLOS R. TOBAR: "Advertencia", *Más brochadas. Timoleón Coloma,* Barcelona, Luis Tasso Serra, 1888, pág. 51.
[71] *Id., op. cit.,* pág. 94.

QUINTA PARTE

MEXICO Y LA AMERICA CENTRAL

La novela mexicana se inicia mucho antes del romanticismo con las obras de José Joaquín Fernández de Lizardi a partir de 1816. Orientado Lizardi en el pensamiento francés del siglo XVIII, escribió a la manera picaresca española novelas genuinamente mexicanas que nunca habían de perder su soberanía popular. Después de casi cuatro décadas de romanticismo en el país, Ignacio Manuel Altamirano centraliza con su figura el movimiento intelectual mexicano a partir de 1867 y reivindica el romanticismo en términos nacionalistas y utilitarios. La novela romántica es abundante en México, tal vez más que en los otros países hispanoamericanos. En el período inicial se destacan dos obras, una novela episódica con tendencias sociales, *El fistol del diablo*, 1859, de Manuel Payno, y una novela de índole sentimental, *Gil Gómez, el insurgente*, 1858, de Juan Díaz Covarrubias. En la península de Yutacán, Justo Sierra, padre, escribe una buena novela histórica, *La hija del judío*, 1849. En el segundo período, José Tomás Cuellar se distingue con las novelas costumbristas de su *Linterna mágica*, entre 1871 y 1892. Ignacio Manuel Altamirano escribe hacia 1886 la mejor novela de todo el romanticismo mexicano, *El Zarco*.

Al independizarse Centroamérica y desprenderse del breve poderío mexicano, su historia cultural se precisa con el desarrollo de sus repúblicas. Sólo Guatemala, la más privilegiada, manifiesta en el género literario una novelística romántica con una figura dominante ,José Milla y Vidaurre. En los demás países —El Salvador, Honduras, Nicaragua y Costa Rica— la novela no se desarrolló hasta fines del siglo XIX. Panamá por aquélla época formaba parte de Colombia. Cuando se encamina por fin la novela en estos países, la tendencia estilística es hacia el realismo.

XIII

MEXICO

La novela fue en México género muy cultivado en el siglo XIX. Durante el período romántico, de la tercera a la penúltima década de la centuria, la producción fue cuantiosa, aun dentro del agitado cuadro de la historia nacional. Al iniciarse el romanticismo, el género contaba con una tradición establecida. Los ejemplos aislados de novelas pastoriles, morales o picarescas de la colonia no tuvieron mayor consecuencia. La formación de la novela nacional mexicana se debió a José Joaquín Fernández de Lizardi (1774-1827). En su obra *El Periquillo Sarniento,* de 1816, vemos la primera manifestación del elemento popular y autóctono que había de sobrevivir la próxima influencia de las novelas románticas francesas. La obra fue tan conocida y popular, que medio siglo más tarde decía Ignacio Manuel Altamirano de ella:

> No hay mexicano que no la conozca, aunque no sea más que por las alusiones que hacen frecuentemente a ella nuestras gentes del pueblo, por los apodos que hizo célebres, y por las narraciones que andan en boca de todo el mundo[1].

Compuso Lizardi su obra dentro de la tradición realista española de la novela picaresca, amoldando el género a su propósito didáctico de instruir al pueblo y propagar sus ideas de regeneración social. Fue grabando de paso en la novela, entre digresiones morales, un cuadro del pueblo mexicano.

Lizardi escribía en un período de formación nacional y de renovación estilística. Se acentuó en la literatura de ese tiempo una tendencia a reproducir fielmente el medio físico, moral y social del país y a introducir en la prosa (y aun en el verso) giros y modismos populares. Esta tendencia, como señala el historiador Luis G. Urbina, tuvo por origen

---

[1] Ignacio Manuel Altamirano: *Revistas literarias de México,* T. F. Neve, 1868, pág. 41.

"la necesidad de hablar al pueblo en su lengua y con su espíritu de cosas que necesariamente debía él comprender y
saber, para animarlo a entrar como primer factor en la lucha
por la libertad"[2]. Fernández de Lizardi fue el escritor que
personificó este impulso. Llegó a ser conocido como "El
pensador mexicano", título de uno de sus periódicos que
publicaba hacia 1812 como órgano de propagación de sus
ideas políticas.

Por aquel tiempo se sentía la influencia de la literatura
francesa de fines del sigla XVIII así como del pensamiento
francés. En la siguiente novela de Lizardi *La Quijotita y su
prima*, 1818-19, es patente la influencia de Rousseau en el
tema de la educación de la mujer. Dentro de la modalidad
estilística de la época, Lizardi compuso sus *Noches tristes
y un día alegre*, 1818, a imitación de José Cadalso, y siguiendo la misma carriente prerromántica, escribió una segunda parte al melodrama *El negro sensible*, 1825, cuya primera parte (de autor ignorando hoy) se había representado
ya en 1805[3]. Volviendo luego a su original inclinación,
escribió la *Vida y hechos del famoso caballero D. Catrín de
la Fachenda*, de sabor netamente mexicano.

En la era de transición prerromántica, se adelanta un
joven poeta en México con novísima expresión emotiva, el
cubano José María Heredia (1803-1839). Su influencia en
las letras del período, aunque no decisiva, se hizo sentir en
la juventud literaria y ensanchó la corriente romántica. Fue
admirador de Chateaubriand y cantor de la naturaleza. Además de sus traducciones clásicas, hizo otras de Ossian, Fos-
colo, Lamartine, Byron, etc. Sobre su formación clásica se
siente el nuevo lirismo romántico. Contaba unos diecisiete
años cuando escribió en 1920 su memorable poema *En el
Teocalli de Cholula*. Todavía no era el poeta del destierro.
Se encontraba en México con su familia, como estudiante
de leyes. En 1823 deja a su tierra para no verla más sino
por breve tiempo y con permiso especial a la muerte de su

[2] Luis G. Urbina: *La vida literaria de México*, Madrid, Sáez
Hnos., 1917, pág. 135.
[3] *Ibid.*, pág. 130.

madre. Las dos conspiraciones en que participa en pro de la
libertad de su patria fracasan. México fue su segunda patria.
En México estableció su hogar, desempeñó numerosos cargos del gobierno, tuvo una labor periodística literaria y fue
catedrático en Toluca, donde publicó, en 1832, un nuevo
tomo de versos , una edición aumentada de la original hecha
en Nueva York (1825). Heredia es el poeta del destierro.
Una y otra vez surge el tema heróico o nostálgico de su
patria en *La estrella de Cuba,* la oda *El Niágara* (1824), *A
Emilia, Placeres de la melancolía, Vuelta al sur* (1825), *Him-
no al desterrado,* y aun otros.

El romanticismo en México tuvo una expresión política
social y literaria. Dentro de la aceptada democracia que
siguió a la independencia, se confrontaban dos criterios, el
de los conservadores, que propendían al gobierno central
y el de los liberales, que querían la inmediata realización de
la república federal. La clase conservadora era la alta clase
social que cultivaba el gusto clasicista. Campeaba el romanticismo la clase media, "francamente liberal, no incrédula,
pero tampoco gazmoña, y, por efecto de la independencia,
beneficiada en sus derechos y estimulada en sus aspiraciones"[4]. El romanticismo fue ganando terreno. Prácticamente,
lo inician los poetas Ignacio Rodríguez Galván y Fernando
Calderón a partir de 1830.

La más significativa orientación en las letras mexicanas
del período fue la formación de la Academia de Letrán. Se
gún las memorias de GUILLERMO PRIETO (1818-1897), célebre poeta nacional, la bohemia literaria de la década del
'30 gustaba reunirse en el Colegio de San Juan de Letrán,
donde residía José María Lacunza, consagrado a sus estudios de leyes. Era además muy aficionado a las letras. Allí
venía cada cual con sus rollos de versos en los bolsillos. Se
leía en alta voz. Se hacía la crítica. Moderaba la figura de
Lacunza. Allí se evocaban los clásicos latinos y los clásicos
españoles, y se ponderaba a Goethe, Schiller, Ossian y Byron. Hacía dos años que duraban estas amenas sesiones cuando nacio la idea de formar una sociedad literaria que lleva-

⁴ *Ibid.,* pág. 142.

ra el nombre del colegio. La resolución quedó aprobada con entusiasmo y Lacunza improvisó el discurso inaugural. No habría otra regla para ser miembro que la de presentar con previa aprobación una composición en verso o en prosa. Una vez leída, la defensa la haría un miembro a elección del autor. Poco tiempo después, en una de las sesiones, se apareció el viejo poeta Quintana Roo. "Vengo a ver que hacen mis muchachos", dijo. Por aclamación entusiasta fue elegido presidente[5]. La Academia de Letrán funcionó de 1836 a 1856.

En la academia coexistieron dos facciones literarias asociadas a la vida política, una conservadora, otra liberal. Uno de los miembros liberales de la sociedad fue IGNACIO RAMÍREZ, *El Nigromante,* como firmaba sus escritos políticos. El día de su presentación estremeció al auditorio al leer su ensayo de fe jacobina. Ramírez fue el doctrinario de la guerra de la Reforma y ministro de Benito Juárez. Fue poeta y rindió tributo a la ideal Rosario, como Manuel M. Flores y el desgraciado Manuel Acuña.

Ramírez y Altamirano fueron maestro y discípulo. Luego, Altamirano había de reunir los elementos intelectuales a partir de 1867 y reivindicar el romanticismo en su aspecto social y literario. JUSTO SIERRA, hijo (1848-1912), fue en un tiempo uno de sus discípulos. Eminente publicista y educador, Sierra se distinguió como el pensador de la patria, el historiador y sociólogo. En su juventud se debatió el positivismo, introducido en el país por el filósofo Gabino Barreda en 1868. Poeta victorhuguista aún y cuentista sentimental, prólogo los poemas de Gutiérrez Nájera y colaboró, entre otras publicaciones, en la *Revista Azul* y la *Revista Moderna*[6]. Con su figura se pasa en las letras del romanticismo a época moderna.

Mucho antes que surgiera el romanticismo en México, Lizardi estableció la novela nacional y como observa Altamirano, se adelantó en el tipo de novela social que encauza-

[5] GUILLERMO PRIETO: *Memorias de mis tiempos,* París-México, Vda. de C. Bouret, 1906, I vol., págs. 165-170.
[6] URBINA: *op. cit,.* págs. 207 *et passim.*

ron algunos de los novelistas románticos franceses, especialmente el que más influencia tuvo entre ellos en México, Eugenio Sue[7]. Desde 1835 hubo algunas manifestaciones aisladas de la novela romántica de tipo histórico, pero el género se desarrolló con mayor fuerza después de 1867. A partir de 1850 floreció la novela sentimental. Mientras tanto surgía de tiempo en tiempo la novela en la tradición de Lizardi, puramente mexicana y de fondo realista, la cual se ensanchó por último en la novela costumbrista hacia la década del '70. Todas estas tendencias estilísticas se manifestaron en la novela a lo largo del período romántico.

El Periquillo Sarniento se publicó en edición completa de cuatro tomos en 1830. *Don Catrín de la Fachenda,* en 1832. Hacia 1845 MANUEL PAYNO (1810-1894) comenzó a publicar los folletines de su novela *El fistol del diablo,* obra que recuerda en muchos aspectos a Lizardi. En ella Payno pinta un cuadro panorámico de la sociedad. Sus descripciones de los mexicanos y de sus costumbres son minuciosas, y si se detiene en estos pormenores, dice el autor, "no es sino por la idea que tenemos de dar a conocer, en cuanto sea posible, las diversas clases de que se compone la sociedad mexicana"[8]. En 1842 Payno había sido nombrado Secretario de la Legación Mexicana en la América del Sur. Con ese motivo pasó a Europa y visitó a Francia e Inglaterra. La tendencia de reforma social de la época también se refleja en su obra. Cuando se detiene a describir los barrios pobres y sus tristes viviendas, indica abiertamente su crítica social diciendo: "estas líneas son dirigidas a las personas influyentes de la sociedad y del gobierno"[9]. En su crítica Payno no intenta moralizar como Lizardi (ni era ya la tendencia en el género). Describe la pobre situación del lépero y concluye lo que llama su pequeño sermón convencido, como dice, "de que no hemos de lograr con él ni aun divertir a los lectores"[10]. Se detiene de nuevo, sin embargo, para abogar en

[7]   ALTAMIRANO: *loc. cit.*
[8]   MANUEL PAYNO: *El fistol del diablo,* Barcelona-México, J. F. Parres & Cía., 1887, I vol., pág. 128.
[9]   *Ibid.,* pág. 89.
[10]   *Ibid.,* pág. 92.

un momento propicio de la historia, por un mejoramiento del régimen penitenciario. Payno tuvo oportunidad de estudiar el sistema penal de los Estados Unidos, enviado por el gobierno después de su viaje a Europa.

En el curso de los episodios novelescos, la obra quedó interrumpida y se publicó luego en forma completa en 1859. Hacia el final, adquiere carácter de novela histórica. Termina con la entrada de las tropas norteamericanas en la capital en 1847. Aparece allí la descripción del general Scott, con los "rifleros" de Kentucky, los voluntarios de Indiana y los "rangers" tejanos.

Los mexicanismos que se advierten en la prosa de Lizardi se multiplican en la de *El fistol del diablo*. Payno encabezó su obra con unas páginas de mexicanismos que por entonces, como dice, no eran conocidos fuera del país ni habían sido adoptados por la Academia Española.

El aspecto romántico de *El fistol del diablo* está más que todo en su presentación. La historia nace de un pacto que hace un señorito de la sociedad con el diablo para realizar sus ambiciones de conquistar a todas las bellezas que se le antojen. Para ello, el diablo, que aparece en forma de elegante caballero y se llama Rugiero, le presta su fistol de brillantes. El talismán pasa de mano en mano, las aventuras se complican y se ensancha el panorama de la novela hasta incluir un gran número de personajes. Rugiero reaparece siempre a lo largo de la historia. La artificialidad de esta maquinación romántica no parece hacer falta a una obra que resulta tan independientemente realista.

La carrera política y literaria de Manuel Payno se extiende a través de medio siglo. En 1861 Payno publicó *El hombre de la situación*. Es la historia de un niño enviado por su tío a México para buscar mejor destino. De ello resulta un cuadro de las costumbres coloniales de fines del siglo XVIII y primeros años de la independencia. Mucho tiempo después pensaba aún terminarla, pero nunca realizó sus deseos[11]. En 1871, publicó en un tomo una colección de

[11] Luis González Obregón: "Prólogo", *El hombre de la situación*, Manuel Payno, México, León Sánchez, 1929, pág. 7.

cuentos bajo el título de *Tardes nubladas,* y por último, *Los bandidos de Río Frío,* de prosa acabada, minuciosamente realista y con marcados pasajes naturalistas. Se publicó en dos tomos, con casi dos mil páginas, en Barcelona, en donde Payno prestaba servicios como cónsul desde 1886.

En 1865 surge otra obra que se encadena a la tradición de la novela autóctona realista. Se trata de la obra de LUIS GONZAGA INCLÁN (1816-1875), *Astucia, el jefe de los Hermanos de la Hoja, o Los Charros Contrabandistas de la Rama.* Aunque hoy día nos parezca su lectura cansada, su plan difuso y la prosa de la narración descuidada, la obra fue muy popular por el tema nacional y hasta por su mismo estilo, pues está dialogada en el lenguaje del charro.

Así como *El fistol del diablo* es la novela de la capital, *Astucia* representa la vida del pueblo y del campo. Inclán explica la índole de su obra en el prólogo: "No hace mucho que existió la célebre asociación de los Hermanos de la Hoja, compuesta de varios sujetos determinados a afrontar los contínuos peligros a que están expuestos los contrabandistas, denominándose así porque su comercio lo hacían con la hoja del tabaco, conocidos con ese título, o de los Charros Contrabandistas de la Rama... Mi objeto es de publicar los episodios de aquellos rancheros que por desgracia la generalidad ha confundido con ladrones y bandidos, cuando no fue sinó todo lo contrario; perseguían de muerte y colgaban sin mucha ceremonia a cuanto bandolero encontraban en su camino"[12]. Y concluye diciendo que estos charros "eran muy queridos, respetados y aún celebrados de cuantos los conocían... En ellos se ve patentizado a toda luz el verdadero carácter mexicano, y virtudes naturales de los rancheros"[13]. Astucia duplica aquí al héroe contrabandista romántico. Es la primera vez que aparece el charro, propiamente dicho, como figura literaria.

El mérito de la obra de Inclán está en la autenticidad del ambiente descrito. La prosa contiene una cantidad de

---

[12] LUIS GONZAGA INCLÁN: "Prólogo", *Astucia, el jefe de los Hermanos de la Hoja,* México, Publicaciones Herrerías, 1939, pág. 3.
[13] *Ibid.*

expresiones populares, tanto así que Joaquín Icazbalceta tomó gran número de vocablos y modismos de la novela para su *Diccionario de provincialismos*[14]. Inclán conocía bien su medio. De joven había dejado los estudios para dedicarse a trabajar en el campo. Logró hacerse propietario del rancho en que había nacido, mas con motivo de la invasión norteamericana, se trasladó a la capital donde estableció una imprenta y litografía con el beneficio de la venta de su finca. Inclán fue tratadista de asuntos de ranchería y escribió unos manuales de *Reglas con que un colegial pueda colear y lazar* (1860) y *Ley de gallos, o sea, Reglamento para el mejor orden y definición de peleas* (1872). Fue también conocido por sus versos festivos y charros[15].

Ligadas al tema del bandido en la literatura, se debe recordar aquí la obra naturalista de Manuel Payno *Los bandidos de Río Frío,* muy superior en su desarrollo estilístico, aunque también muy difusa y aun más extensa, y la obra de Ignacio Manuel Altamirano, *El Zarco,* escrita al finalizar el período romántico.

A mediados de siglo comenzaron a publicarse en la capital una serie de novelas de índole amatoria iniciada por la extensa obra de FERNANDO OROZCO y BERRA (1822-1851), *La guerra de treinta años,* 1850. Orozco definió el contenido y estilo de su obra en el prólogo:

> De todo tiene, y principalmente de amor: de amor mezclado con el desaliento y tristeza; amor a la moda del siglo, escéptico, ideal... y todo lo demás que nos traen los vientos de allende los mares[16].

Toda la novela se resume en la imprecación que hace el héroe al final de la obra: "Treinta años de vida. ¿Y qué he logrado? Treinta años de guerra con las mujeres. ¿Y qué triunfo he alcanzado? Para gozar en el mundo se necesita endurecer el corazón en el crimen, y cerrar los ojos a

[14] FRANCISCO PIMENTEL: *Obras completas,* México, Tipografía Económica, 1904, V vol., pág. 338.
[15] *Cf.* ICLÁN: *El libro de las charrerías.* Ed. y pról. de Manuel Toussaint, México, Porrúa Hnos., 1940.
[16] FERNANDO OROZCO Y BERRA: "Prólogo", *La guerra de treinta años,* México, V. García Torres, 1850, pág. 6.

la justicia y al pudor. El placer más inocente y más frívolo ha de comprarse con dinero o con lágrimas; y para hallar el dinero es preciso arrastrarse por el suelo como las víboras; las lágrimas son pedazos del alma, las ilusiones que se van, los remordimientos que vienen"[17].

Orozco era médico de profesión, pero abandonó su carrera por la mayor afición que sentía a las letras. Según Altamirano, su novela refleja en esencia la historia de su vida sentimental. En el prólogo, Orozco indica que no recurrió al ingenio, ni a la imaginación, sino a la memoria de sucesos que vio o en los que fue actor. Para encubrir la realidad de los hechos, situó la acción en España. Se dice que algunas damas, al verse aludidas en la obra, se dieron a sustraer del mercado todas las copias posibles de su única edición[18].

FLORENCIO M. DEL CASTILLO (1828-1863) inició a la par de Orozco la novela sentimental. Se distinguió por su estilo. Su prosa es sobria. Sus creaciones son breves. No pasan de ser novelitas o simplemente resúmenes de tramas. Sus historias son melodramáticas. El desenlace, doloroso. Sus heroínas están dotadas de todas las virtudes y creadas para sufrir con resignación. Sus primeros cuentos y novelitas se publicaron en 1849 en un tomo titulado *Horas de tristeza*. Al año siguiente hubo otra edición. En 1854 apareció una novela corta, la principal por su extensión, llamada *Hermana de los ángeles*. Es una tragedia conyugal. La virtuosa joven muere de sufrimiento cuando su esposo ciego, a quien cuidaba con devoción, se enamora de otra. El tema del amor está analizado con referencias filosóficas y religiosas.

En época de profundo sentimentalismo, Florencio del Castillo fue muy apreciado. En realidad, sus obras tienen un sello de individualidad. La prosa esmerada de sus novelitas, el tinte filosófico de ellas y la delicada sensibilidad de sus personajes lo apartan como novelista del grupo de sus contemporáneos en un período en que el aspecto folletinesco de

---

[17] *Id., op. ci.,* pág. 331.
[18] CARLOS GONZÁLEZ PEÑA: *Historia de la literatura mexicana desde los orígenes hasta nuestros días,* México, Porrúa, 1949, página 257.

las obras absorbía todo el arte del novelista. Florencio del Castillo fue activo en la política y murió como patriota durante la intervención francesa.

Perteneció también a la generación del '50 JUAN DÍAZ COVARRUBIAS (1837-1859). Es el que más prometía por las obras que dejó escritas antes de su temprana muerte. Contaba apenas veintidós años cuando fue hecho prisionero y fusilado con un grupo de liberales en Tacubaya durante la guerra de la Reforma. Estaba allí en calidad de médico.

Díaz Covarrubias publicó primero un libro de *Impresiones y sentimientos* en 1857 y al año siguiente, *La sensitiva,* boceto de novela sentimental, y *La clase media.* En esta novela, un médico se enamora de una muchacha deshonrada por un joven rico de la sociedad. Desea casarse con ella y hasta consigue devolverle su niña, pero la muchacha renuncia a ello por no deshonrar la reputación del médico. En la crítica social, se observan la influencia de novelistas franceses como Sue, Hugo y Sand[19].

En el mismo año de 1858, Díaz Covarrubias publicó *Gil Gómez, el insurgente.* Es una mezcla de relato histórico y de idilio sentimental, sin que domine ni uno ni otro elemento. Tiene insertados algunos documentos y proclamas para dar mayor autenticidad al ambiente histórico. El héroe de la novela no es el que le da el nombre, sino Fernando, hijo de un honrado hacendado en cuya casa se educa el huérfano Gil Gómez como sirviente y compañero de aquél. La parte sentimental cabe al idilio lamartiniano del héroe con la hija del médico vecino, Clemencia. Termina trágicamente cuando el joven, deseoso de conocer el mundo, aprovecha la oportunidad que le proporciona su tío y se va de oficial en las tropas reales. Vuelve demasiado tarde. La tristeza de la joven olvidada ha agravado su afección cardíaca y muere. Durante la historia, Gil Gómez, figura simpática y algo cómica, tiene sus andanzas de héroe como mano derecha de Hidalgo. En el prólogo, Díaz Covarrubias da a entender que pensaba novelar la historia de su patria hasta la invasión americana.

[19] PIMENTEL: *op. cit.,* pág. 306.

El diablo en México, su última producción, se publicó al año siguiente de su muerte. La pequeña novela es un poco epigramática. Dos jóvenes se aman, pero luego cada uno se casa con otro. El cambio inesperado de la situación da a la obra un tono de ironía, tal vez de burla. La novela tiene algunas escenas netamente costumbristas como la descripción del Teatro de Iturbide y el baile en casa del comerciante enriquecido.

La novela amatoria en su forma folletinesca, quedó representada por JOSÉ RIVERA Y RÍO, de quien sus contemporáneos no se ocuparon en preservar la memoria de sus fechas. Autor de trece extensas novelas, comenzó a escribir igualmente a mediados del siglo, publicando en 1851 *Los misterios de San Cosme,* evidentemente bajo la influencia de Eugenio Sue. Siguió publicando hasta 1876. Tiene en sus obras páginas de interés social y de curiosidad costumbrista, pero sus novelas quedan olvidadas por el desdoro de su desaliñado estilo.

La novela sentimental siguió cultivándose en décadas posteriores. El poeta JOSÉ MARÍA RAMÍREZ (1834-1892) obtuvo mucho éxito con su última novela *Una rosa y un harapo,* 1868. Igual éxito tuvo más tarde PEDRO CASTERA (1838-1906) con *Carmen,* 1882, a imitación de la *María* de Isaacs[20].

Antes de pasar adelante al período de renacimiento en las letras mexicanas, después de la restauración de la República, aún hay que señalar un género de novela que se manifestó durante la cuarta década del siglo y se resarrolló mayormente después de 1867. Se trata de la novela histórica. Los primeros ensayos fueron breves novelitas: *Netzula,* de índole indianista, 1832, de JOSÉ MARÍA LAFRAGUA; *El Inquisidor de México,* 1835, de JOSÉ JOAQUÍN PESADO; y *La hija del Oidor,* 1836, de IGNACIO RODRÍGUEZ GALVÁN. En 1836 apareció una novela de J. R. PACHECO, *El criollo,* de época

---

[20]   Para un estudio detallado de estos y otros autores secundarios de la novela sentimental y de la novela amatoria y social romántica, véase John Stubbs Brushwood, "The Romantic Novel in México", *University of Missouri Studies,* 1954, XXVI, n.º 4.

colonial, y otra de MARIANO MELÉNDEZ MUÑOZ, *El misterioso*, de tiempos de Felipe II[21].

El primer novelista que se destacó en el género histórico fue JUSTO SIERRA, padre (1814-1861), de Yucatán, célebre jurisconsulto, cuyo *Proyecto del código civil mexicano* fue la base en que se apoyó la codificación civil de la República. Se distinguió como literato y fundó en Mérida *El Museo Yucateco, El Fénix* y *El Registro Yucateco*. En el folletín de esta última revista apareció en 1841 su primera novela *Un año en el hospital de San Lázaro*. A través de la correspondencia del protagonista desde el hospital de los leprosos, conocemos su desgraciada situación. Después de un año, Antonio, el héroe, decide escaparse del hospital y al final de la obra, Sierra escribe esta indicación: "Hace algún tiempo estoy ocupado en bosquejar una extensa novela que bajo el título de *Los filibusteros del siglo XIX*, pienso publicar en mejor ocasión. *Un año en el hospital de San Lázaro* no es más que un episodio de esa novela, y por lo mismo, es aquí en donde debe terminar. Sin embargo, aunque sea destruyendo el interés de la novela principal, diré que Antonio quedó enteramente curado de su dolencia, se halló en la toma de Misolonghi, y a principios de 1837 vivía aún en la ciudad de Smirna"[22].

Aparte de *Algunas leyendas*, Sierra no escribió sino una novela más, *La hija del judío*, del siglo XVII, que fue apareciendo en *El Fénix* desde 1848 a 1849. La historia sentimental está dominada por la lucha entre dos poderes eclesiásticos en Yucatán, la Inquisición y los Jesuitas, sobre el el destino de María, heredera de una gran fortuna confiscada. Su padre había sido acusado de judaizante. Por intervención del Prepósito de los Jesuitas, María logra salir del convento en donde había sido recluida, se casa como había querido y sale del país con su esposo, quedando su restituida fortuna bajo la administración de los Jesuitas. Por el

---

[21]   Pudiera encabezar este grupo inicial *Jicoténcal*, obra en dos tomos, escrita en español, publicada en Filadelfia, 1826, de autor desconocido.

[22]   JUSTO SIERRA: *Un año en el hospital de San Lázaro*, México, V. Agüeros, 1905, II vol., pág. 275.

epílogo sabemos que su padre se escapa de la cárcel de la Inquisición y huye a Portugal.

Sobre su obra, comentó Sierra:

> Tan incompleta y llena de incorrecciones como ha sido preciso publicarla, puede llegar a ser una obra diferente cuando, dándole toda la amplitud de que es susceptible, hagamos de ella una segunda edición. Un trabajo que merece ser limado y *aun modificado,* no vale la pena todavía de circularlo suelto[23].

Aunque Sierra no realizó su deseo, la novela queda como la mejor de su clase. Está escrita en un estilo correcto y fluido. Los elementos de la historia sentimental y de la intriga están bien equilibrados. No destruye la armonía de la trama el apasionamiento y el sensacionalismo vistos en obras de otros autores románticos sobre el mismo tema.

La siguiente novela histórica importante después de *La hija del judío,* fue la de Díaz Covarrubias, *Gil Gómez, el insurgente* (1858). Vale recordar también que la de Payno, *El fistol del diablo,* es en parte histórica.

Con el renacimiento de las letras al restablecerse la república en 1867, aumentó notablemente la producción de novelas históricas. Continuó escribiéndose la novela sentimental, más algunas episódicas de crítica social. Sobre todo, se desarrolló favorablemente la novela costumbrista.

A partir de 1867, los escritores producían con mayor orientación de escuela. El maestro de esa generación del 67 fue IGNACIO MANUEL ALTAMIRANO (1834-1893). Se destaca como figura excepcional. Sus padres fueron indígenas de pura sangre, que llevaban como herencia el nombre de familia de un benefactor español. Eran de Tixtla. Altamirano de niño no sabía español. Ingresó en el colegio al ser elegido su padre alcalde del pueblo. Luego pasó al Instituto Literario de Toluca, donde fue discípulo del célebre Ignacio Ramírez. De allí pasó a la capital. Siguieron años de estudios y política. Conoció entonces a Florencio M. del Castillo,

[23] CRESCENCIO CARRILLO ANCONA: "Dos palabras", *La hija del judío,* Justo Sierra, México, V. Agüeros, 1908, I vol., pág. vi.

Juan Díaz Covarrubias y José Rivera y Río. Altamirano luchó con los liberales en la guerra de la Reforma. Con el triunfo de Juárez en 1861, Altamirano, recibido ya de abogado, fue elegido Diputado al congreso de la Unión, y se hizo célebre en la tribuna. Volvió a prestar servicio durante las guerras de la Intervención y del Imperio. Restablecida la república, siguió desempeñando altos cargos públicos y compartió sus actividades literarias entre la enseñanza, el periodismo y las bellas letras. A él más que a nadie se debió el renacimiento de las letras nacionales. Fue maestro aún de dos generaciones, primero en el Liceo de Hidalgo (organizado desde 1850) y después, de 1885 a 1889, como presidente honorario del Liceo Mexicano. Fundó en colaboración con otras numerosas revistas, entre ellas *El Renacimiento,* en 1869, a la cual contribuyeron los más distinguidos escritores y poetas nacionales. Pasó sus últimos años de cónsul en España y Francia, y murió lejos de su patria, estando en Italia[24].

En una de sus *Revistas literarias de México, Altamirano* expuso su dogma de nacionalismo y utilitarismo literarios. Condenó la servil imitación de los modelos europeos:

Mientras que nos limitemos a imitar la novela francesa, cuya forma es inadaptable a nuestras costumbres y a nuestro modo de ser, no haremos sino pálidas y mezquinas imitaciones, así como no hemos producido más que cantos débiles imitando a los trovadores españoles y a los poetas ingleses y franceses... No negamos la gran utilidad de estudiar todas las escuelas literarias del mundo civilizado... pero deseamos que se cree una literatura absolutamente nuestra[25].

Entre los novelistas extranjeros, Altamirano admiraba a Sir Walter Scott, Alejandro Dumas, James Fenimore Cooper y Manuel Fernández y González. De este último añade:

Se da la circunstancia notable de estarse reprodu-

[24] *Cf.* Luis González Obregón: *Biografía de don Ignacio Manuel Altamirano,* México, Sagrado Corazón de Jesús, 1893. (24 páginas).
[25] Altamirano: *Revistas literarias,* pág. 13.

ciendo sus obras en los folletines de casi todos los periódicos mexicanos, y se agotan las ediciones que vienen de España[26].

La literatura había de tener una misión patriótica del más alto interés: podía dar al mundo un verdadero retrato de México, descartando los cuadros caprichosos de viajeros extranjeros, y se refiere el maestro especialmente a los que estuvieron en México con la corte de Maximiliano[27].

Consideraba que la novela se había elevado a un puesto de máxima importancia y era medio de difusión ideológica: "Es indudablemente la producción literaria que se ve con más gusto por el público, y cuya lectura se hace hoy más popular. Pudiérase decir que es el género de literatura más cultivado en el siglo XIX y el artificio con que los hombres pensadores de nuestra época han logrado hacer descender a las masas doctrinas y opiniones que de otro modo habría sido difícil hacer que se aceptasen[28]. Las doctrinas sociales, todos los principios de regeneración moral y política, propiedad exclusiva antes de la tribuna, de la cátedra y del periodismo, se apoderan también de la novela y la convierten en un órgano poderoso de propagación[29]. Como ejemplo de ello señala a *Los miserables,* de Víctor Hugo, *La cabaña del tío Tom,* de Enriqueta Boecher Stwe y las novelas de Balzac y de Sue.

Habiendo indicado en términos generales la función utilitaria de la novela, subraya su importancia didáctica para el pueblo y su destino social:

> Hemos juzgado su importancia no por comparación con los otros géneros literarios, sino por la influencia que ha tenido y tendrá todavía en la educación de las masas. La novela es el libro de las masas. Los demás ustudios, desnudos del atavío de la imaginación, y mejores por eso, sin disputa, están reservados a un círculo más inteligente y más dichoso, porque

26 *Ibid.,* pág. 32.
27 *Ibid.,* pág. 15.
28 *Ibid.,* pág. 17.
29 *Ibid.,* pág. 34.

no tiene necesidad de fábulas y de poesía para sacar de ellos el provecho que desea. Quizás la novela está llamada a abrir el camino a las clases pobres para que lleguen a la altura de este círculo privilegiado y se confundan con él. Quizás la novela no es más que la iniciación del pueblo en los misterios de la civilización moderna, y la instrucción que se le da para el sacerdocio del porvenir. ¡Quién sabe! El hecho es que la novela instruye y deleita a ese pobre pueblo que no tiene bibliotecas, y que aun teniéndolas, no poseería su clave; el hecho es que entretanto llega el día de la igualdad universal y mientras haya un círculo reducido de inteligencias superiores a las masas, la novela, como la canción popular, como el periodismo, como la tribuna, será un vínculo de unión con ellas, y tal vez el más fuerte[30].

Una de las funciones de la novela será la de enseñar al pueblo su historia. Altamirano se queja de que el pueblo mexicano conozca personajes históricos de otros países y no los suyos:

En esto tiene toda la culpa la negligencia de nuestros escritores, que han debido dar alimento, desde hace tiempo, a la curiosidad pública con leyendas nacionales[31].

La novela puede también enseñar e introducir el buen gusto y refinamiento en un país[32]. En toda circunstancia debe ser moral, porque fuera de la moral:

Nada vemos de útil, nada que conduzca a la dicha, nada vemos que pueda llamarse verdaderamente placer[33].

El grado de estilo en que se escriba la novela ha de ser muy importante. El estilo no debe estar más allá de la al-

[30]   *Ibid.*, pág. 39-40.
[31]   *Ibid.*, pág. 73.
[32]   *Ibid.*, pág. 74.
[33]   *Ibid.*, pág. 38.

tura de las masas para que pueda la obra realizar su función utilitaria:

> Deseamos que nuestros jóvenes autores no pierdan de vista que escriben para un pueblo que comienza a ilustrarse; y sí reprobaríamos que se descendiese, hablándole al estilo chabacano y bajo, no nos parecería tampoco a propósito el que a fuerza de refinamiento llegase a ser oscuro para la inteligencia popular[34].

Como ejemplo de ello, señala Altamirano el estilo demasiado culto de *Una rosa y un harapo,* de José María Ramírez, obra sentimental con pretensiones de estilo rebuscado en su pocas alusiones clásicas y algunos latinismos. Más tarde, prosigue el maestro, ayudados por la enseñanza popular y el espíritu progresista de la época, "podremos ir ascendiendo en el estilo" con el progreso del vulgo[35].

Dos escritores de la generación del '67, *Juan A. Mateos* (1831-1913) y VICENTE RIVA PALACIO (1832-1896), inician la serie de novelas históricas que se publicaron durante las dos últimas décadas del período romántico. Ambos combatieron en las guerras de la Intervención y del Imperio y sirvieron al gobierno en altos cargos públicos.

Juan A. Mateos fue el decano de los novelistas y poetas dramáticos mexicanos. Su primera novela *El cerro de las campanas,* gozó de envidiable popularidad y tuvo enseguida una segunda edición[36]. La obra es extensa y es evidente la precipitación con que fue escrita. El elemento episódico se encuadra en los recientes sucesos nacionales que culminan en la caída de Maximiliano. Hay algunos pasajes cómicos en la afectación afrancesada de ciertos personajes. La descripción de la gran batalla del '67 tiene una realidad palpa-

---

[34] *Ibid.,* pág. 69.

[35] *Ibid.* Sobre los escritores de la generación del '67 véase la crítica implacable que hace de ellos Victoriano Agüeros, literato y crítico de la época, en sus *Artículos literarios,* México, I. Cumplido, 1880, págs. 196 *et passim.*

[36] JUAN B. IGUÍNIZ: *Bibliografía de novelistas mexicanos* (con apuntes biográficos), México, Monográficas Mexicanas, 1926, página 210.

ble. La libertad con que el autor novela la vida personal del emperador Maximiliano es curiosa. Se publicó en 1868, al año siguiente de su desgraciada muerte.

Sol de mayo apareció también en 1868. Es una truculenta historia de amor y celos con un ambiente histórico del '61 al '63. El estilo es aún más descuidado. Al año siguiente, sacó *Sacerdote y caudillo*, episodios de la independencia, que se continuaron en *Los insurgente*, del mismo año. Mateos siguió publicando hasta principios del siglo XX. Escribió catorce novelas[37].

El general VICENTE RIVA PALACIO se inició también en el género de la novela en 1868 con *Calvario y tabor*. Comienza con unas dos o tres páginas de descripción poética de la naturaleza tropical y misteriosa como tributo a la moda romántica, estilo no sostenido después. La obra es un conjunto de episodios novelescos con escenas intercaladas de la guerra de la Intervención en el centro de la República. Tiene pasajes de exaltación política y de aridez etilística en la documentación histórica. La parte novelesca es de tipo folletinesco con escenas de venganzas pasionales.

Igualmente truculentas (aunque de mejor prosa) fueron sus novelas de tiempos de la Inquisición, supuestas historias de embrollada trama. *Monja y casada, virgen y mártir* y *Martín Caratuza* son de 1868 y forman una unidad. *Las dos emparedadas* es de 1869. El archivo de la Inquisición que se dice adquirió Riva Palacio, le proporcionó material para sus novelas, pero como se ha señalado ya.

No logra una reconstrucción de ambiente, se queda en la superficie y aprovecha mejor lo externo, lo circunstancial. Le resultan así sus relatos aventuras folletinescas, sin verdadero contenido humano[38].

Riva Palacio siguió publicando *Los piratas del golfo,*

[37] Para un estudio detallado de la novela histórica mexina, véase JOHN LLOYD READ: *The Mexican Historical Novel, 1826-1910*, Nueva York, Instituto de las Españas en los Estados Unidos, 1939.

[38] JULIO JIMÉNEZ RUEDA: *Letras mexicanas en el siglo XIX*, México, Fondo de Cultura Económica, 1944, pág. 110.

1869, *La vuelta de los muertos*, 1870, *Memorias de un impostor*. D. *Guillén de Lampart, rey de México*, 1872, y *Un secreto que mata*, de edición póstuma. La más apreciada de sus obras por su interés y su despejado estilo, ha sido *Cuentos del General*, que publicó en Madrid, donde residió siendo Ministro Plenipotenciario de México.

Tan prolífico como Mateos y Riva Palacio fue IRINEO PAZ (1836-1924), y como ellos, sirvió a su patria durante los años de guerra y de paz. Escribió dieciocho novelas, casi todas históricas. Cuenta entre sus primeras *Amor y suplicio*, de 1873. Empieza como novela indianista y luego pasa a ser histórica. Los primeros capítulos fueron leídos en veladas literarias al estímulo del maestro Altamirano. Las páginas iniciales revelan un cuadro plástico de un bosque virgen con la figura de un joven sumido en la más profunda tristeza. Es el príncipe Moctezuma, sensible personaje romántico. Resume así su triste historia de amor, al final, al padre que lo viene a consolar:

> Otila era una hermosa tlaxcalteca que yo amé como nunca ha amado ningún hombre... Otila también me amó con todo el fuego de su virtud y yo tuve una aurora pasajera de felicidad... Un capitán español la hizo su esposa, aunque jamás pudo arrancar de su pecho el amor que me tenía... Otila aprendió una nueva religión de los altares cristianos, y ella me dijo que para que volviéramos a reunirnos después de esta vida, tenía que adorar al verdadero Dios...[39].

En las últimas décadas del siglo, Paz fue publicando dos series de *Leyendas históricas de la independencia*, en suma nueve obras, entre 1886 y 1895. Escribió después cuatro obras más sobre Maximiliano, Juárez, Porfirio Díaz y Madero, entre 1899 y 1904.

ELIGIO ANCONA (1836-1893), yucateco como don Justo Sierra, contribuyó al género de la novela histórica desde 1866 con *La cruz y la espada* y *El filibustero*. En *La cruz y*

---

[39] IRENEO PAZ: *Amor y suplicio*, México, I. Paz, 1881, II vol., pág. 484.

la espada se integran el elemento indianista y el histórico. La obra es episódica y sentimental dentro de un cuadro yucateco del siglo XVI. La novedad está en la descripción de las costumbres mayas. Entra también la nota emotiva romántica en la contemplación de las ruinas mayas.

Ancona se anticipó a Ireneo Paz en novelar la historia de la conquista de México en *Los mártires del Anáhuac,* 1870. El tema había sido tratado por GERTRUDIS GÓMEZ DE AVELLANEDA en *Guatimozín,* publicado en Madrid en 1846 y en México en 1853 y 1887. Aun dentro del mismo ambiente, PATRICIO DE LA ESCOSURA había publicado *La conjuración de México,* o *Los hijos de Hernán Cortés* en Madrid y en México en 1850[40]. La obra de Ancona guarda cierto interés en las descripciones de la corte azteca, con alusiones a las tradiciones indígenas religiosas. Ancona exalta la nobleza y la dignidad de los aztecas en contraste con la avaricia y crueldad de los conquistadores. *Los mártires del Anáhuac* es la novela más pro-indígena del grupo indianista-histórico[41].

De las novelas indianistas, la más antigua es la novelita sentimental ya citada, de tiempos de la conquista, *Netzula,* de JOSÉ MARÍA LAFRAGUA (1813-1875), escrita en 1832. Poco antes de la primera obra indianista de Ancona, el erudito presbítero CRESCENCIO CARRILLO Y ANCONA (1836-1897), luego obispo de Yucatán, compuso en 1862 una novelita, *Historia de Welina,* que se editó tres veces. Según el autor, fue leída con entusiasmo por la emperatriz Carlota Amalia, quien le pidió al embajador belga traducirla al francés para publicarla en París en una edición de lujo. Con la caída del imperio no se realizó el proyecto. En la *Historia de Welina* se exalta el elemento cristiano y la santa labor de los misioneros católicos. Tiene interesantes pasajes descriptivos de las costumbres mayas. Inspirado en el mismo tema, JUAN LUIS TERCERO (1837-1905) compuso en 1875 una extensa novela glorificando el catolicismo entre los índigenas del

[40]   READ: *op. cit.,* pág. 77.
[41]   CONCHA MELÉNDEZ: *La novela indianista en Hispanoamérica,* Madrid, Hernando, 1934, págs. 89-107.

Anáhuac y la llamó *Nezahualpilli*, o *El catolicismo en México*[42].

Eligio Ancona terminó su producción en 1879 con *El conde de Peñalva* y *El Alférez Real*, de edición póstuma. Considerada esta última como la mejor de sus novelas, resulta una amena combinación de intriga policíaca moderna y de novela histórica ligeramente romántica.

En el auge de la producción literaria en la capital se dio a conocer como novelista JOSÉ TOMÁS DE CUÉLLAR (1830-1894). Había comenzado a escribir desde los dieciocho años, colaborando primero en varios periódicos y luega presentándose con éxito como dramaturgo. En la novela, se ensayó primero en una obra histórica de México, siglo XVIII, *El pecado del siglo*, 1869, enfocándola desde el punto de vista social. La obra quedó eclipsada por las novelas costumbristas que escribió después y en cuyo género no tuvo rival. Empezó a publicar su serie *La literna mágica* en 1871-72, en siete volúmenes. En ella figuran *Ensalada de pollos, Historia de Chucho el Ninfo, Isolina la exfigurante, Las jamonas, Secretos íntimos del tocador y del confidente, Las gentes que "son así"* y *Gabriel el Cerrajero,* o *Las hijas de mi papá.* En 1886 publicó *Baile y cochino.* De 1889 a 1892 dio al público su segunda serie de *La linterna mágica* en veinticuatro tomos. Incluyó las novelas costumbristas ya publicadas más *Los mariditos, Los fuereños, La Noche Buena* y una tercera y cuarta parte a *Las gentes que "son así".* Los otros tomos son de poesías, artículos y estudios.

La obra y propósito de José Tomás de Cuéllar queda resumida por el mismo autor en su prológo a *Ensalada de pollos,* 1872:

> Yo he copiado a mis personajes a la luz de mi linterna, no en drama fantástico y descomunal, sino en plena comedia humana, en la vida real, sorprendiéndoles en el hogar, en la familia, en el taller, en el campo, en la cárcel, en todas partes; a unos con la risa en los labios y a otros con el llanto en los ojos; pero

[42] *Ibid.,* págs. 138-50.

he tenido especial cuidado de la corrección en los perfiles del vicio y de la virtud: de manera que cuando el lector, a la luz de mi linterna, ría conmigo y encuentre el ridículo en los vicios y en las malas costumbres, o goce con los modelos de la virtud, habré conquistado un nuevo prosélito de la moral y de la justicia. Esta es la linterna mágica: no trae costumbres de ultramar, ni brevete de invención; todo es mexicano, todo es nuestro, que es lo que nos importa; y dejando a las princesas rusas, a los sandíes y a los reyes de Europa, nos entendremos con la *china,* con el *lépero,* con la *polla,* con la *cómica,* con el indio, con el chinaco, con el tendero y con todo lo de acá[43].

Concluimos el período romántico de la novela mexicana con la figura de IGNACIO MANUEL ALTAMIRANO. Produjo Altamirano una serie de novelas y novelitas a partir de 1867 que coleccionó luego en dos tomos de *Cuentos de invierno,* 1880. Entre ellas se encuentra *Clemencia* y el relato novelesco *La Navidad en las montañas. Clemencia* es una historia sentimental de tiempos de las intervención francesa. Muestra una evolución sobre la tradicional novela amatoria por su prosa más llana y una trama más sencilla y menos melodramática. *La Navidad en las montañas* tiene hermosos pasajes descriptivos y una narración bien sostenida. Contrastando con las agitadas novelas románticas del período, prevalece en ésta un sentimiento de suave nostalgia y de bondad fraternal.

La mejor novela de Altamirano fue *El Zarco. Episodios de la vida mexicana en 1861-1863,* de edición póstuma. Con ella se cierra el ciclo romántico de la novela mexicana. Altamirano leyó sus primeros capítulos en El Liceo de Hidalgo en 1886. Son evidentes en la obra las manifestaciones realistas en la manera impersonal y minuciosa con que el autor realiza sus descripciones y en el despejo con que analiza los sentimientos románticos de la descarriada heroína, Manuela. Se enamora la muchacha del bandido el Zarco bajo la in-

[43] José Tomás de Cuéllar: "Prólogo", *Ensalada de pollos,* México, Porrúa, 1946, págs. xvi y xviii..

fluencia de lecturas romancescas y acaba, como dice el novelista,

> Por figurarse a los bandidos como una casta de guerreros audaces y por dar al Zarco las proporciones de un héroe legendario. Aquella misma guarida de Xochimancas y aquellas alturas rocallosas de las montañas en que solían establecer el centro de sus operaciones los plateados, aparecían en la imaginación de la extraviada joven como esas fortalezas maravillosas de los antiguos cuentos, o por lo menos como campamentos pintorescos de los ejércitos liberales o conservadores que se habían visto aparecer, no hacía mucho, en casi todos los puntos del país[44].

En la novela hay más movilidad en la delineación de los personajes. El honrado herrero, Nicolás, despreciado por Manuela, se revela como hombre inflexible en la persecución del bandido. El Zarco, voluntarioso y seguro de sí mismo, se violenta por parecer ahora ante Manuela como bandido grosero. Manuela, forjada ella misma en ficciones románticas, despierta bruscamente a la realidad de su locura. Se acuerda de su casa, de su prima Pilar, del buen herrero. La pluma benévola del novelista recurre a un fin romántico para salvarla de la justicia. En una escena melodramática, Manuela, aprehendida con el Zarco, después de recibir el perdón de los desposados Nicolás y Pilar, muere a consecuencia de su aflicción.

El Zarco no sólo es la mejor novela mexicana del período, sino que estilísticamente puede considerarse como una de las buenas producciones de la novela romántica en Hispanoamérica.

---

[44] ALTAMIRANO: *El Zarco*, México, J. Ballescá & Cía., 1901, pág. 119.

XIV

GUATEMALA

De todos los países de la América Central, Guatemala fue el más aventajado en su desarrollo cultural debido a su original importancia histórica. De la capitanía general de Guatemala dependieron durante la colonia las provincias de Chiapas, Honduras, El Salvador, Nicaragua y Costa Rica. En 1821, al saberse en Guatemala el alzamiento de Iturbide, se declaró la independencia de la capitanía general. La anexión subsiguiente del territorio al imperio mexicano no fue realizada sino con la presencia de las fuerzas enviadas por Iturbide al mando del general Filísola. Después de la sublevación de Santa Ana en Veracruz, Filísola decidió convocar un congreso centroamericano, proclamándose la independencia absoluta de la antigua capitanía general en 1823. Quedó constituida la confederación de las Provincias Unidas de Centroamérica. Chiapas pasó a ser estado de México. A partir de 1838, la confederación fue desintegrándose al irse formando las repúblicas de la América Central. En 1903, Panamá se añadió al grupo de las repúblicas centroamericanas después de independizarse de Colombia.

En Guatemala, como en México, al iniciarse el movimiento romántico, la novela ya contaba con un precedente importante en el género, aunque en este caso no ejerció niguna influencia en el desarrollo de la novela nacional. Se trata de *El cristiano errante,* de JOSÉ ANTONIO DE IRISARRI (1786-1868), político, polemista y poeta satírico, activo periodista y uno de los primeros hispanoamericanos aficionados al estudio de la filología. La novela apareció primero como felletín de uno de los periódicos que lanzó Irisarri durante su estancia en Bogotá. Apenas concluida la primera parte, salió en edición separada en 1847[45]. La obra, de es-

[45] ANTONIO BATRES JUÁREGUI: *Literatos guatemaltecos,* Guatemala, Tipografía Nacional, 1896, pág. 231.

quema autobiográfico, entronca con la tradición picaresca española y no está tan apartada del ambiente costumbrista de la época en su estilo satírico y popular. Es un relato discursivo, lleno de espontaneidad. He aquí cómo se direge Irisarri al lector:

> Quiero que sepas muy bien sabido que la única intención que he tenido al escribir esta novela histórica, ha sido la de pintar nuestras costumbres como ellas son y como las encontró Romualdo desde Méjico hasta Buenos Aires con el poco más en unas partes, y el poco menos en otras, que de la misma novela va resultando[46].

Poco después añade su deseo de dar a conocer al lector el estado social y político de estos países antes de separarse de la madre patria. La obra no se llegó a concluir. En la misma vena, escribió Irisarri la *Historia del perínclito Epaminondas del Cauca,* publicada en Nueva York en 1863. De ésta también sólo apareció la primera parte.

La novela romántica guatemalteca es desde el principio de índole nacional e histórica. El iniciador de la novela histórica fue Manuel Montúfar. Murió en 1857, habiendo concluido *El Alférez Real.* Debía salir por entregas en *El Museo Guatemalteco,* pero después de cuatro entregas en 1858, se suspendió la publicación, no se sabe por qué causa, extraviándose después los originales. Según la opinión que de ella formó el literato David Vela, quien pudo leer los seis primeros capítulos, hubiera sido una obra de mérito, pues mostraba una paciente documentación por parte del autor dentro del cuadro colonial del siglo XVIII[47].

El prócer de la novela histórica fue JOSÉ MILLA Y VIDAURRE (1827-1882), aclamado nacionalmente como el padre de la novela guatemalteca. Se inició en la carrera literaria hacia 1846 como periodista. Dos años más tarde, entró al servicio del general Rafael Carrera de relator de funciones.

---

[46] JOSÉ ANTONIO DE IRISARRI: "Prólogo", *El cristiano errante,* Santiago de Chile, Imprenta Universitaria, 1929, pág. xliv.

[47] DAVID VELA: *Literatura guatemalteca,* Guatemala, Nacional, 1944, II vol., págs. 374-77.

Bajo su régimen pasó a desempeñar numerosos y distinguidos cargos en el gobierno.

Como poeta aun dentro de la tradición clásica, Milla puso un poema festivo novelado, *Don Bonifacio,* publicado en 1862. Su estilo muestra la influencia que tuvo sobre él su antiguo y fraternal amigo JOSÉ BATRES MONTÚFAR (1809-1844). Milla no logró captar el arte del poeta nacional en sus conocidas y pintorescas *Tradiciones de Guatemala.* Abandonó la poesía para seguir en el campo más seguro de la prosa. Su copiosa producción costumbrista quedó recopilada, con dos relatos novelescos satíricos, en los dos tomos de *Canasto del sastre.* Escribió luego una serie de novelas, casi todas elaboradas sobre datos históricos.

Su primera novela histórica, y la mejor de ellas por su relativa sencillez, fue *La hija del Adelantado,* 1866. Doña Leonor, hija del adelantado Pedro de Alvarado y de la princesa tlaxcalteca Jicotencal, sólo anhelaba casarse con el capitán Pedro de Portocarrero. Al regresar Alvarado a Guatemala con su segunda esposa, doña Beatriz, había ya arreglado casar a su hija con don Francisco de la Cueva, cuñado suyo y persona influyente en la corte. La historia se desarrolla en un ambiente de intrigas políticas embrolladas con la mezquindad de ciertos personajes, empeñados en difamar a Portocarrero ante Leonor. La novela termina con el terremoto y las inundaciones que destruyeron la primitiva ciudad de Santiago de los Caballeros de Guatemala en 1541. En el desastre muere Portocarrero, después de haber salvado a Leonor de un derrumbe.

Al año siguiente, José Milla publicó su segunda novela histórica, *Los nazarenos,* 1867. La "Advertencia" que la encabeza promete una obra interesante: "Nuestras antiguas crónicas —dice el autor— dan noticia sucinta de graves perturbaciones que ocurrieron en el Reino durante la presidencia del Conde de Santiago de Calimaya, con motivo de las desavenencias y duelos entre dos familias nobles: las de los Padillas y los Carranzas. Las pocas palabras que encontramos en esos documentos, respecto a los dos bandos que en aquellos tiempos se hicieron cruda guerra, y la noticia, harto breve también, que da el P. Fray José García en su *Historia Bethlemítica* acerca de D. Diego de Arias Maldonado, han servido de base a esta novela"[48]. Sobre este último personaje, el novelista indica haber alterado el orden cronológico de la historia para poder relacionarlo con los acontecimientos ya mencionados. La obra toma su nombre de una supuesta asociación secreta formada por el bando de los Carranza contra los Padilla. La novela resulta ser un conjunto de cinco historias de amor contrariado enlazadas en una inextricable trama, en la que se desearía una continuidad menos arbitraria.

Aún más compleja es la trama de *El Visitador*. En el capítulo XXV, el novelista hace un recuento de las diferentes historias que se han ido desarrollando en el curso de la novela. La intriga política de la residencia del presidente don Antonio de Peraza, conde de la Gomera, es el hecho principal. Con respecto a ella surge una docena de intrigas menores relacionadas al protagonista, el visitador Juan de Ibarra. El Visitador es la "figura fatídica y tenebrosa, encarnación de las malas pasiones, espíritu lanzado en la senda del crimen", que se cierne sobre todos los elementos del drama y prosigue inalterable en sus malos designios[49]. La acción se desarrolla en la segunda década del siglo XVII. Los datos que pudo tomar el novelista de las crónicas de la época fueron, al parecer, muy escasos por la reserva de los propios cronistas al tratar un asunto en el que estaban implicados los más altos funcionarios del virreinato[50].

José Milla utiliza los datos tomados de las crónicas en ésta como en las demás novelas históricas como punto de partida para su imaginación creadora. Una vez situada la acción, el interés histórico queda embebido por el desarrollo de una complicada trama. De ahí que sus novelas históricas parezcan más bien novelas folletinescas con situaciones forzadas, relatos espeluznantes, revelaciones inesperadas, etc. Más que una reconstrucción de la época, hay en ellas una

---

[48]   JOSÉ MILLA Y VIDAURRE: "Advertencia", Los nazarenos, Guatemala, Nacional, 1935, pág. 3.
[49]   MILLA: *El Visitador*, Guatemala, Nacional, 1935, pág. 408.
[50]   JUAN AYCINENA: "Prólogo", *idem*, pág. 7.

visión harto tumultuosa y desordenada de la sociedad. En realidad, es una tendencia romántica que se observa en muchos de los novelistas históricos de la época al tratar el período colonial. Aun así, Milla se aparta de los escritores folletinescos por su estilo castizo. Tiene alguna que otra escena interesante de la colonia, como la descripción de las fiestas reales en Guatemala en honor a Felipe IV. Uno de los espectáculos era el simulacro del peñón, el asedio del volcán Quezaltenango por las fuerzas españolas al mando de Pedro Portocarrero, cuando la sublevación de los indios de Sacatepequez y otros en 1526:

> La fiesta del volcán se hacía muy de tarde en tarde, pues era bastante costosa; y así, cuando se ejecutaba, atraía la atención de las clases principales y del pueblo. A las cuatro entró por la calle que conduce hacia Jocotenango un numeroso cuerpo de indios desnudos, con *maxtates* y penachos de plumas, armados con arcos y flechas despuntadas. Aquellos fingidos guerreros iban todos embijados, lo que daba un aspecto más extraño a aquel ejército. En seguida aparecieron las mascaradas, que figuraban a los españoles y a los indios de la conquista, capitaneados aquéllos por Hernán Cortés y éstos por Moctezuma; como también grupos de moros y cristianos. Multitud de indios, disfrazados con trajes caprichosos, tocaban los instrumentos músicos nacionales, formando un ruido atronador y discordante. Por último entró el gobernador de los jocotecos, que hacía de Sinacam, conducido a hombros en una silla dorada bajo un dosel de plumas de quetzal y de guacamaya, vestido con traje real y llevando en la mano derecha el cetro y en la izquierda un abanico. Por una escalinata formada en espiral en el mamotreto que figuraba el volcán y que los espectadores no veían por estar cubierta con ramas, fueron subiendo al rey, hasta colocarle en la casilla construida en la cima. Los guerreros de Sinacam tomaron posiciones en el cerro, esperando a sus adversarios, los descendientes de los tlaxcaltecas, que desembocaron por la calle

que va a Ciudad Vieja. Estos venían vestidos a la usanza española, con armaduras, espadas, broqueles y lanzas. Pronto comenzó el combate...[51].

Después de una ausencia voluntaria del país por razones políticas, José Milla resumió su producción literaria en 1875 con *Un viaje al otro mundo, pasando por otras partes, 1871-1874.* En esta obra Milla creó de paso en sus cuadros de brocha gorda, al personaje Juan Chapín, tipo de criollo auténtico.

En 1876 publicó *Memorias de un abogado,* en que se advierte un cambio de estilo. Se revelan las dotes del escritor costumbrista. La obra está escrita en forma autobiográfica. El héroe, Francisco, es un simple muchacho por quien sentimos en seguida interés y afecto. Entran en juego dos elementos nuevos: una sutil tendencia psicológica en la caracterización del héroe y un tono francamente festivo en muchas partes de la narración. Ejemplo de la primera nota es la gracia con que están expuestas las escenas escolares entre el discípulo adolescente, Francisco, y su muy admirada tutora, la joven Teresa.

Francisco, siendo huérfano, vivía con su tío, hombre de temperamento violento que entendía la caridad a su modo. Tenía a Francisco de teñidor de lanas en su telar. Un día asesinan al tío y el muchacho se ve acusado del crimen. Olvidado de la justicia durante todo un año, sólo una extraordinaria casualidad lo salva del mismo patíbulo. Ese día jura solemnemente ser abogado defensor de los condenados a muerte. Después de diez años de estudios, logra su deseo.

La vida universitaria del héroe, la interesante descripción de los certámenes y ceremonias doctorales, luego las animadas tertulias de doña Lupercia y sus hijas, los paseos al campo, la función en el Teatro de los Angeles —todas estas escenas forman un cuadro de la vida en la ciudad de Guatemala hacia 1800.

La novela presenta otro cuadro social, también dentro de la modalidad costumbrista, respecto a la vida profesional

[51] MILLA: *El Visitador,* págs. 88-89.

de Francisco en la sátira de los malos abogados, la descripción de la cárcel municipal y la exposición de algunas ideas de la época sobre el derecho penal.

La prueba más difícil a la que se somete el héroe por el ideal profesional que se ha impuesto, es la de defender al criminal de quien su novia ha sido víctima. Aquí la novela cambia de estilo. Su desenlace decae a un romanticismo de corte folletinesco.

En la novela *Historia de un pepe,* vuelve el escritor a su estilo antiguo de sus novelas románticas. El héroe resulta ser hijo de un salteador que se hace pasar como hidalgo rico, y de una desventurada joven, expulsada luego de su hogar. El héroe descubre su identidad en el transcurso de una historia llena de extraordinarias aventuras. Muere peleando contra la división enviada por Iturbide para reducir la provincia de El Salvador. Apenas se menciona este suceso histórico, última jornada en la vida del héroe.

Se supone que sea ésta la última novela de Milla, aunque no se conoce la fecha de su primera edición. El insigne guatemalteco concluyó su fecunda carrera literaria con una obra erudita, la *Historia de la América Central,* en dos tomos, 1879-1882. La figura de José Milla domina todo el período romántico de la novela. Su prestigio fue tan grande, que aún en 1898 AGUSTÍN MENCOS, desafiando las establecidas tendencias realistas y naturalistas de la época, insistió en escribir dentro de los moldes de su admirado maestro. Así lo expresó en el prólogo a su novela histórica *Don Juan Núñez García.* Hubo uno que otro escritor que ensayara la novela romántica en la segunda mitad del siglo, pero hoy día, como prosista romántico, ha perdurado únicamente el nombre de José Milla con su conocido pseudónimo de *Salomé Jil.*

XV

EL SALVADOR

El romanticismo en El Salvador se manifestó primero en la poesía de Ignacio Gómez (1813-1877), ilustre personaje que fue a la vez jurisconsulto, legislador y diplomático, catedrático, escritor erudito y poeta. De niño fue enviado a Nueva York para cursar sus estudios. Regresó a su país en 1836. Entre sus producciones líricas se encuentran traducciones de Gray, *Elegía escrita en el cementerio de una aldea*; de Metastasio, *La despedida*; de Goethe, *Ilusión*; de Byron, "La canción de Medora", del *Corsario*; y de Lamartine, *Tristeza*[52].

En la segunda mitad del siglo, exalta el entusiasmo romántico el poeta español Fernando Velarde, quien en décadas anteriores había sido el ídolo de la generación romántica primero en Lima y luego en Guatemala[53]. Tenemos prueba de la exhuberante producción lírica nacional durante un período de cuatro décadas en los tres gruesos volúmenes que forman la antología de poetas salvadoreños, recopilada por Román Mayorga Rivas y publicada en 1884.

Del género novelesco, la bibliografía del país apenas rinde un dato: ANGEL GONZÁLEZ, *Ley del destino* (Novela), 1882[54]. Con anterioridad se había publicado en 1877 *Blanca*, novela que escribió el guatemalteco MIGUEL ANGEL URRUTIA (n. 1852) durante su permanencia en el país. Es una obra en dos tomos, de corte folletinesco y de acentuado estilo romántico. Cuenta una historia de pasiones, crímenes, se-

---

[52] JUAN RAMÓN URIARTE: *Síntesis histórica de la literatura salvadoreña* (ed. con *Los poetas novios de Cuscatlán*), San Salvador, Diario del Salvador, 1925, pág. 83.

[53] Cf. *Ibid.*, págs. 85-86; Ricardo Palma, *La bohemia de mi tiempo*, Lima, La Industria, 1899, págs. 5-6; y Marcelino Menéndez y Pelayo, *Historia de la poesía hispanoamericana*, Santander, Aldus, 1948, I vol., pág. 206.

[54] HENRY GRATTAN DOYLE: *A Tentative Bibliography of the Belles-lettres of the Republica of Central America*, Cambridge, Mass., Harvard University Press, 1935, pág. 124.

cuestros y locuras, con un desenlace inesperadamente feliz[55]. La olvidada novela o novelita de Angel González publicada unos años después, por su título y aun por su fecha, debió de haber sido también romántica.

Tenemos indirectamente una indicación más sobre la falta del género novelesco en el país en un ensayo leído ante la Academia de Ciencias y Bellas Letras en 1888. MANUEL DELGADO, Ministro de Relaciones Exteriores, Justicia y Cultos, para el acto de su recepción en la Academia, escogió como tema de su discurso, la superioridad del idealismo sobre el naturalismo en la literatura. En él no hizo más alusión a la literatura nacional que ésta:

> El naturalismo, por fortuna, no ha ejercido todavía ninguna influencia en nuestra naciente literatura, que casi está reducida al cultivo de la poesía lírica[56].

En dicha ocasión, respondió como Primer Secretario de la Academia, el literato y crítico FRANCISCO CASTAÑEDA, defendiendo, más que el naturalismo, el realismo en el arte. El debate continuó después en artículos posteriores.

Antes de terminarse el siglo, se presentó modestamente un novelista nacional, ADRIÁN M. ARÉVALO. Su primicia literaria fue *Lorenza Cisneros*. Por una carta que le sirve de introducción, sabemos que la escribió en 1897. La novelita lleva el siguiente rótulo: "Este ensayo de novela histórica nacional, es fruto de mi perseverancia como obrero en el ramo tipográfico"[57]. La obra está escrita en prosa corriente, monótona por falta de arte, pero representa otro eslabón inicial en la novelística salvadoreña. La novelita se publicó con otras novelas cortas del autor, también de estilo realista, al entrar la segunda década del siglo XX. Para esa época, ya se había encauzado definitivamente la novela salvadoreña con otros escritores nacionales.

---

[55] DAVID VELA: *Literatura Guatemalteca*, Guatemala, Nacional, 1944, II vol., págs. 382-83.

[56] MANUEL DELGADO: "Discurso", *Estudios y artículos literarios* de Francisco Castañeda, San Salvador, Imprenta Nacional, 1890, pág. 73.

[57] ADRIÁN M. ARÉVALO: *Lorenza Cisneros*, San Salvador, Nacional, 1913, pág. 3.

XVI

HONDURAS

La novela hondureña se formó en el período de transición entre el romanticismo y el realismo. Los primeros datos bibliográficos aparecen a fines del siglo XIX. Se destacó primero en el género, LUCILA GAMERO MONCADA DE MEDINA (n. 1873), doctora en medicina y autora de una serie de novelas, una de ellas premiada. Publicó primero en 1897, *Páginas del corazón* y *Adriana y Margarita,* de índole sentimental. Siguió con una obra de mayor extensión, *Blanca Olmedo,* escrita hacia 1908. Lleva al frente estas palabras explicativas que indican a su vez el estilo:

> El estudio de la vida real y los ejemplos, harto dolorosos, que de injusticia he visto cometidos... son los que me indujeron a escribir este libro. Desde niña he trabajado por el mejoramiento social y por que impere la justicia, sin prerrogativas de dinero o de linaje; por eso, sin eufemismos, pongo los ejemplos al desnudo[58].

También a fines de siglo, el poeta CARLOS F. GUTIÉRREZ (1861-1899) contribuyó a la iniciación del género con una novelita histórica hondureña, *Angelina,* 1898[59]. Unos años más tarde, el escritor Julián López Pineda (n. 1879) publicó *Marina* en 1904 y *Alba* en 1910[60]. Para esa primera década del siglo se destacaba ya como poeta y prosista del modernismo FROYLÁN TURCIOS (1878-1943). Su *Annabel Lee* data de 1906 y *El vampiro,* de 1910.

Estas son las primeras obras notables que encauzaron la novelística hondureña.

---

[58] LUCILA GAMERO MONCADA DE MEDINA: "Palabras explicativas", *Blanca Olmedo,* Danli, Honduras, Excelsior, 19—, pág. 7.
[59] JORGE FIDEL DURÓN: *Indice de la bibliografía hondureña,* Tegucigalpa, Calderón, 1946, pág. 84.
[60] *Ibid.,* pág. 118.

XVII

NICARAGUA

Es de suponer que los primeros ensayos novelescos en Nicaragua encontraran salida inicial en los folletines de los periódicos hacia las últimas décadas del siglo XIX. Una ojeada al catálogo general de libros de la Biblioteca Nacional por el año 1882 sólo da una idea de la popularidad de los autores románticos europeos. La lista de novelistas se extiende hasta incluir Zola y Pérez Galdós.

Los primeros datos bibliográficos de la novela nicaragüense no surgen hasta fines del siglo XIX. GUSTAVO GUZMÁN es el primer novelista que se destaca en el país. Escribió dos novelas realistas que él llamó de costumbres: *En París,* 1893, y *En España,* 1895. Al año siguiente publicó una tercera, *El conflicto; guerra franco-alemana,* 1896. Los cuadros sociales que forman parte de la novela *En París* habían sido tratados antes en *El viajero. De Granada a París,* 1886. Por su desenfadado realismo provocaron la censura de la prensa y protestas de una parte del periodismo francés, según comenta el autor en el prólogo. Las novelas de Gustavo Guzmán son realistas y cosmopolitas.

Los novelistas que siguieron a Guzmán escribieron igualmente dentro de un ambiente europeizante. Sólo contemporáneamente, con *Hernán Robleto* (n. 1892), surge primero el cuento regional con su lenguaje y color local y luego, la verdadera novela nacional nicaragüense[61].

---

[61] HUMBERTO OSORNO FONSECA: *Los grandes ignorados,* Managua, Atlántida, 1940, págs. 53-54.

XVIII

COSTA RICA

En Costa Rica, como en Panamá, en donde la novela ha sido historiada desde sus orígenes, los datos bibliográficos trazan una trayectoria novelística análoga al de las repúblicas precedentes.

La primera novela costarricense fue *Emelina,* ensayo de un emigrado político, LUIS MARTÍN DE CASTRO. La obra se publicó en 1873 y según profesa el autor, refleja un episodio de su vida profesional como médico[62].

No hubo mayor manifestación de la prosa novelesca en las dos décadas subsiguientes que la del cuento. Por otra parte, y como peculiaridad nacional, se desarrolló el costumbrismo, género que adquirió vigor a fines de siglo y que abarca la más importante y la más fecunda de las escuelas literarias hasta el presente[63].

Al finalizar el siglo XIX se destaca un escritor a quien se reconoce hoy como el padre de la novela costarricense, MANUEL ARGÜELLO MORA (1834-1902), profesor de derecho, magistrado y político. Reunió sus escritos en dos tomos: *Páginas de historia; recuerdos e impresiones,* 1898, y *Costa Rica pintoresca. Sus leyendas y tradiciones. Colección de novelas, cuentos, historias y paisajes,* 1899. En este tomo se encuentra *Elisa del Mar,* novelita en cinco pequeños capítulos con un epílogo, de argumento sentimental con fondo histórico. La acción se desarrolla en las playas de Puntarenas por el año 1860[64]. La parte histórica tiene relación con un episodio de la vida del autor. Después de un año de exilio político, Argüello Mora fue uno de los que desembarcaron en Puntarenas para acaudillar el movimiento, de tan desas-

---

[62] FRANCISCO MARÍA NÚÑEZ: *Itinerario de la novela costarricense,* San José, 1947, pág. 11.
[63] ABELARDO BONILLA: *Letras costarricenses,* Buenos Aires, Jackson, 1946, pág. xii.
[64] NÚÑEZ: *op. cit.,* pág. 15.

troso resultado, contra el régimen que había destituido a su tío de la presidencia[65].

Figuran también en el tomo de *Costa Rica pintoresca*, dos novelitas nacionales: *Margarita* y *La trinchera*. En 1900 aparecieron en un libro de cincuenta páginas *La bella herediana* y *El amor de un leproso,* y en un folleto de treinta y tres páginas, *Un drama en el presidio de San Lucas, Un hombre honrado* y *Las dos gemelas*[66].

Al mismo tiempo que Manuel Argüello Mora producía las primeras novelitas nacionales de Costa Rica, el guatemalteco MÁXIMO SOTO HALL (1871-1944), escritor panamericano, publicaba en San José una novela corta, *El problema,* es decir, el problema del imperialismo yanqui en Costa Rica. El héroe, después de plantear todas sus teorías sobre el tema, termina por estrellarse a todo galope contra el tren que lleva a su ex-novia y el esposo de ésta, un empresario americano, en viaje de bodas. Salvo por esta exhibición melodramática, el estilo de la novela es realista.

El triunfo del realismo en la novela costarricense lo señala JOAQUÍN GARCÍA MONGE en sus novelitas *El moto,* 1900, *Hijas del campo,* del mismo año, y *Abnegación,* 1902. García Monge fue el maestro de la generación de 1900 que dio carácter, en esos primeros años del siglo, al realismo regional de la novela costarricense.

[65] ROGELIO SOTELA: *Escritores de Costa Rica,* San José, Lehmann & Cía., 1942, pág. 23.
[66] DOYLE: *op. cit.,* pág. 5.

XIX

PANAMA

Durante todo el período romántico, Panamá forma parte de Colombia. Se independiza en 1903, realizando con los Estados Unidos el acuerdo del canal de Panamá.

La primera novelita de la literatura panameña fue *La virtud triunfante,* de GIL COLUNJE. Pertenecía el autor a una asociación llamada LOS DESEOSOS DE INSTRUCCIÓN, fundada en 1849 por un grupo de jóvenes que dieron gran empuje al cultivo de las letras. Editaron un periódico con el mismo nombre de la sociedad. En sus ediciones apareció la novelita de Colunje[67]. Con la última entrega venía el juicio crítico de Ramón Meléndez, miembro también de la sociedad antes mencionada:

> El argumento de *La virtud triunfante* es magnífico: la noble Junieta, la mujer de la aristocracia de sangre, desprecia las miserables preocupaciones de su clase, y obedeciendo a los impulsos de su corazón, prefiere para amante y para esposo al plebeyo pero virtuoso Cesarino. Estas son las ideas del siglo[68].

Un benefactor facilitó al joven Colunje los medios para seguir sus estudios en Bogotá. Allí se interesó por la política, se hizo militar y por último llegó a desempeñar altos cargos en el gobierno.

Poco después del ensayo de Colunje, el istmeño MANUEL LARIOS publicó en la Habana una novela, *María,* en 1852[69].

En la segunda mitad del siglo se reflejaba en el estado de Panamá la influencia de la literatura romántica colombiana. Se leían *El Mosaico* y *El Iris* y la *María* de Isaacs gozaba de gran popularidad. Surgió por esa época una co-

---

[67] JUAN ANTONIO SUSTO y SIMÓN ELIET: *La vida y la obra del Dr. Gil Colunje,* Panamá, Imprenta Nacional, 1931, pág. 5.

[68] RODRIGO MIRÓ: *Orígenes de la literatura novelesca en Panamá,* Panamá, Departamento de Cultura y Publicaciones del Ministerio de Educación, 1948, págs. 15-16.

[69] DOYLE: *op. cit.,* pág. 11.

rrespondiente generación romántica integrada mayormente de poetas. Se dio a conocer en *El Céfiro,* iniciado en 1866, y luego en *El Crepúsculo,* a partir de 1870. En esos periódicos literarios aparecieron algunos ensayos de prosa novelesca[70].

No obstante, la siguiente novela panameña vuelve a publicarse en el extranjero. En 1888 aparece en Nueva York la obra de JEREMÍAS JAÉN (1869-1909), *Mélida:*

> Novelón interminable, indefinible e ilegible, de un exotismo *sui generis,* inspirada, sin duda, en la novela romántica de aventuras... Enmarañada historia de crímenes, tiene por escenario París. Intervienen en la obra lo que se suponen distinguidas familias inglesas y francesas[71].

La obra de Jeremías Jaén es la última novela romántica. La siguiente novela panameña aparece ya en estilo realista. Es la obra de JULIO ARDILA (1865-1918), *Josefina.* Salió primero por entregas en *El Cronista* y luego en edición aparte en 1903. De índole sentimental, su estilo revela la tendencia hacia el tipo de novela psicológica. Tiene el interés de un ambiente nacional y representa el punto de partida de la novela panameña contemporánea[72].

---

[70] MIRÓ: *op. cit.,* pág. 19.
[71] *Ibid.,* pág. 23.
[72] *Ibid.,* págs. 22-24.

XX

CONCLUSION

En la totalidad del movimiento romántico en Hispanoamérica, surgieron unas cuantas figuras notables que fueron los teóricos del romanticismo hispanoamericano. No fueron los únicos maestros del romanticismo americano, pero en su tiempo establecieron dogmas literarios: evaluaron la herencia europea y el patrimonio español y manifestaron la independencia intelectual mediante una estética americanista. Esteban Echevarría en Argentina, Andrés Lamas en Uruguay, José Victorino Lastarria en Chile, Juan León Mera en Ecuador e Ignacio Altamirano en México. Todos, como se ha visto ya en el desarrollo de sus principios estéticos, tuvieron un ideal común: el de adaptar las normas del romanticismo europeo a los intereses americanos, y crear así una literatura autóctona. Echeverría inició el movimiento en la región rioplatense y su enseñanza se propagó inmediatamente mediante la estimulante influencia de los emigrados argentinos. A la vanguardia de ellos estaba Sarmiento. Echeverría comprendió el romanticismo como movimiento revolucionario político, filosófico y literario. Lamas aceptó el aspecto político y literario del romanticismo vecino, pero advocando la norma de permanecer dentro de la fe tradicional de la Iglesia. Lastarria y Altamirano se concretaron en el aspecto literario y social de la escuela, proclamando la función utilitaria de la literatura: la de educar al pueblo. Mera, el último de los teóricos románticos, se desprende ya de toda escuela y tiene un interés puramente americanista y estilístico.

En los países del norte del hemisferio hispanoamericano, el romanticismo se infiltró en general sin el estruendo de escuela militante. En esos países se destacaron algunos literatos, entre ellos profesores y autores españoles, que organizaron círculos literarios, en los cuales se formaron, bajo su estímulo y dentro de la corriente literaria venida de

Europa, los jóvenes de la nueva generación romántica. La fama de estos literatos fue efímera. No brillaron como escritores. No lanzaron dogmas ni redactaron programas literarios. Escribieron a lo más ensayos de orientación crítica. Su enseñanza fue verbal, pero tan influyente en propagar el romanticismo y en establecer una literatura autóctona como la palabra de las grandes figuras ya citadas. Al hablar de los maestros del romanticismo americano hay que incluir su labor, menos lucida, pero no menos eficaz. Ejemplo de la acción benéfica de estos maestros fue la dirección cívica y literaria de Domingo Delmonte en Cuba; en el aspecto literario, la de José María Vergara en Colombia, así como la influencia del olvidado poeta Fernando Velarde en el Perú y en la América Central. En Chile, la gran polémica del romanticismo cobra tanto ímpetu debido al estímulo de Sarmiento.

La enseñanza de todos estos maestros y orientadores de la escuela romántica en Hispanoamérica se tradujo, en cuanto a la novela, en la originalidad autóctona del género. Los temas fueron de interés nacional. El panorama era la naturaleza americana. La acción, la representación de escenas del país, ya en el campo o en las ciudades. Los personajes románticos fueron los héroes y tipos nacionales. El americanismo, como se habrá observado en la historia de cada país, no siempre se manifestó enseguida, pero fue la regla general, y aun en las contadas excepciones, se hizo patente antes de finalizar el romanticismo.

El americanismo se extendió a la lengua. En la revaloración romántica —¡increíble exageración de escrúpulos!— el idioma español fue ponderado por Echevarría y luego admitido, según sus palabras, como el único legado que los americanos podían aceptar de España, porque era verdaderamente precioso. Pero lo aceptaban, añadía, a condición de mejora, de transformación progresiva, de emancipación. Juan Bautista Alberdi se anticipó por su parte a escribir sobre la emancipación de la lengua española en América. Lastarria duplicó las palabras de Echeverría sobre la preciosa herencia del idioma español. La lengua fue objeto de la primera de las polémicas entre tradicionalistas y progresistas en Chile hacia 1841-42, Bello abogando por el purismo y la tradición y Sarmiento, por el progreso y la espontaneidad. Unos años más tarde, Bello, al prolongar su gramática, señala la importancia de conservar la lengua pura y mantener así la unidad de idioma en Hispanoamérica. Propone admitir el uso de veces nativas siempre que las patrocine la costumbre uniforme de la gente educada. Mera también fue entusiasta defensor de la lengua española y subraya la necesidad de introducir vocablos indígenas cuando no hubiera equivalentes en español. En el transcurso del período romántico, y aun en casos ajenos a la preocupación polémica de la lengua, fue práctica común de los novelistas usar vocablos nativos y no tardó en imponerse el habla popular de las clases con la boga del costumbrismo.

Los románticos europeos buscaban su escapismo en la lejanía geográfica y en la lejanía del tiempo, en el exotismo paisajista y en la historia medieval. La naturaleza americana era en sí exótica. Relativamente lo era para los europeos y conscientemente, para los criollos. Si los novelistas americanos se inspiraban en temas europeos, nunca se preocupaban de describir los paisajes de la lejanía salvo en forma muy generalizada y ambigua, mientras que describían su propia naturaleza con sumo detalle y en la novela indianista, con cierto afectismo literario. El tema indígena evocado en tiempos de la colonia sugería un exotismo deslumbrador de riquezas en atavíos y piedras preciosas de fabulosos templos y palacios. El otro extremo era el tema indígena en arcadia sencillez. En Puerto Rico se da un caso de exotismo extranjero, de orientalismo, pero según indicación bibliográfica sobre la novela, pudiera ser un subterfugio de crítica política más que de exotismo literario. El costumbrismo suplió también el pintoresquismo exótico en la novela romántica. La variedad de razas y tipos, y la variedad de costumbres regionales y sociales era fuente inagotable de exotismo local.

La naturaleza en la novela romántica hispanoamericana se representó en general según la modalidad de la escuela europea. En la novela sentimental es la naturaleza que armoniza con los sentimientos del héroe. A veces es el jardín y refugio íntimo de la heroína, donde brotan con ingenua espontaneidad toda clase de flores nativas. En la novela indianista, la naturaleza aparece con exotismo escénico, una naturaleza arreglada con toda lucidez. En cualquier tipo de novela, se trasluce con frecuencia un sentimiento panteista de la naturaleza, especialmente en paisajes grandiosos o en la pintura de un crepúsculo. También en América el crepúsculo es la hora de predilección romántica y la tormenta, la contraseña de agitación dramática. Sólo en las obras maestras se olvida el amaneramiento estilístico y aparece la naturaleza americana tal como es. Descubre entonces el novelista la grandeza de la naturaleza virgen o pinta un rincón acogedor del campo o de un jardín.

Sería larga la enumeración de la excelentes descripciones de la naturaleza americana en la novela romántica. El panorama de los Andes se revela poderosamente y con precisión geográfica en *Cumandá*. Cuadros de parecida magnificencia se ven en el *Enriquillo* y en el relato novelesco *La Navidad en las montañas*. En *María* se encuentra el encanto de los cuadros naturales del campo. En *Manuela* hay en las abundantes descripciones de la naturaleza gran acopio de nombres sobre la flora y fauna de la región. En *Juan de la Rosa* los cuadros se animan con escenas de lugareños trabajando en los campos. En *Cecilia Valdés,* la naturaleza tropical, descrita con precisión realista, encuadra la vista de los ingenios y plantaciones. En *La peregrinación de Bayoán* la naturaleza antillana se describe emotivamente. A veces la descripción de la naturaleza se reduce al más humilde detalle, como en el cuadro de la casa de María, la novia de *El capitán de Patricios* con el corredor lleno de enredaderas en flor, donde vienen a libar los colibríes la miel silvestre que les brinda la joven.

El medievalismo europeo no tenía particular significación para el americano. Su pasado era el pasado colonial. La variedad de temas dentro del género de novela colonial fue grande. No interesan las obras hoy tanto como podrían dado a su estilo de elaboración. La novela histórica que trata la conquista, al incluir al indio, tema ineludible, se vuelve artificiosa novela indianista. Las historias de los conquistadores terminan por ser folletinescas. Las novelas del virreinato no guardan otro interés que el enredo de episodios espeluznantes. Algunas fueron más favorecidas debido a la mano del costumbrista que transfería su método estilístico a un tema de uno o dos siglos atrás. En ellas había más intención de verosimilitud y menos encadenación episódica. Esto aparte de los cuadros e historietas que Ricardo Palma entresacó de las crónicas para sus Tradiciones peruanas. En las novelas del virreinato, surgió el tema de la Inquisición con escena en México o Perú. El asunto se prestaba para desahogar opiniones políticas y religiosas de extremo radicalismo romántico. Resultaron obras folletinescas de poco gusto y peor estilo. Excepción a la regla es la novela de Justo Sierra, padre, *La hija del judío.*

De los engendros de novelas folletinescas de temas históricos o sociales, queda hoy, como curiosidad bibliográfica, la memoria de algunos títulos: *Los misterios de San Cosme* (México) 1851 *Los misterios de Buenos Aires,* 1857, *Los misterios de Santiago,* 1858, *Los misterios de Sucre,* 1861, y *Los misterios de la Habana,* 1879.

Algunos maestros y escritores le dieron a la novela histórica una importancia cívica y cultural. Bartolomé Mitre y Vicente Fidel López consagraron en prólogos cada uno un ensayo dogmático sobre la utilidad de la novela histórica para enseñar a los pueblos su pasado y despertar el orgullo nacional. Eco repetido por Altamirano dos décadas más tarde en su estética utilitaria.

Dentro de un período moderno para los novelistas románticos, se escribieron algunas novelas sobre las guerras de independencia americana y luego sobre las guerras civiles. En México a veces el episodio histórico era tan reciente que apenas transcurría un año entre el hecho y la publicación de los enormes novelones. Entre las novelas de guerra resalta *Juan de la Rosa,* las memorias de un soldado de la independencia, de Nataniel Aguirre.

De las novelas históricas hispanoamericanas, dos merecen recordarse, el *Enriquillo* y la *Amalia*. Representan dos estilos de novela histórica derivados básicamente del mismo método. La primera ejemplifica la técnica de reconstrucción histórica del pasado con verdadera y minuciosa documentación, tal como la había iniciado el maestro Sir Walter Scott. Muchos novelistas americanos tuvieron el empeño del investigador y algunos hasta documentaron sus novelas con notas al pie de la página, como Vicente Fidel López en *La novia del hereje,* pero pronto se dejaban arrastrar por el desencadenamiento de sus extraordinarios episodios y la obra perdía mucho o todo de su verosimilitud. En *Amalia,* el autor ensayó el método ingenioso de escribir el presente como pasado para crear un ambiente histórico con todos los pormenores de un ambiente vivido. Es precisamente esa cualidad vital y personal de la obra la que capta el interés del lector, pese a la maquinación bastante episódica de su desarrollo.

También es buena novela histórica *Juan de la Rosa,* pero como el relato se desarrolla por medio del niño héroe y ocupa él, en realidad, el interés de la novela, se puede considerar la obra como novela biográfica, género raro en la novelística romántica. La pequeña obra de Carlos R. Tobar, *Timoleón Coloma,* es la única de estilo autobiográfico. La novela biográfica en el romanticismo quedaba representada por los diarios sentimentales. *La peregrinación de Bayoán* es el ejemplo por excelencia. En rara ocasión resultaba una obra biografía novelada, caso más propio de prosa contemporánea, y entonces era obra política, como *Facundo.*

La novela de tesis no es muy corriente en la novelística romántica. Luego, habiendo pasado la causa, la novela sólo vive por el mérito de su estilo. Así ha sucedido con los alegatos políticos de *La peregrinación de Bayoán, Amalia* y el relato biográfico de *Facundo.* En México la novela amatoria y la novela de intriga, más que en otro país, mostró una preocupación social, pero apenas son recordados los ejemplos por la pobre confección de las obras en sí. Las ideas de progreso social eran importadas de las novelas francesas y salvo por una base común de humanitarismo, mal se avenían las preocupaciones sociales europeas a la sociedad mexicana. El indio, como en toda obra romántica, quedaba fuera de consideración.

El indio en las novelas románticas americanas fue una figura decorativa. Se exceptúa el *Enriquillo,* en la cual el protagonista adquiere proporciones de héroe de epopeya. Más simpatía suscitó el esclavo en la novela cubana. Las primeras novelas y novelitas sobre el esclavo fueron puramente de propaganda abolicionista. En *Francisco* se idealizó como héroe romántico. Luego, al arraigarse la novela costumbrista, el negro, esclavo o libre, formó parte del cuadro social.

De todas las novelas románticas hispanoamericanas, la más original fue la novela costumbrista. Nació en Hispanoamérica de elemento español. El costumbrismo fue el desarrollo natural del romanticismo hacia el realismo. Tan natural, que no se sintió la novedad de la escuela realista como tal, y vino a ser, en muchos casos, el naturalismo el que trazara los límites del romanticismo. Así, el costumbrismo, despojándose un tanto del idealismo romántico y acentuando el detalle cotidiano, llegó a suplir en gran parte el realismo en Hispanoamérica. Preservaba aún el sentimentalismo y la nota melodramática, pero en donde el romanticismo describía ideal y emocionalmente, el costumbrismo caracterizaba con el detalle descriminativo. Es más, en las novelas del costumbrista José Tomás de Cuéllar, de época avanzada, sólo la ligera desproporción de la sátira impide el estilo ser del todo realista. En la novela colombiana, la transición casi imperceptible del costumbrismo romántico al regionalismo realista se hace patente al comparar una obra como *Manuela* con una obra como *Tránsito.* El costumbrismo explica el abreviado paso entre el romanticismo y el naturalismo. En Venezuela, por ejemplo, entre *Zárate* y la primera novela de tendencia naturalista sólo van dos años. El costumbrismo romántico, sea dicho de paso, tuvo casos de absoluto naturalismo. Provenía esto del gusto por lo pintoresco y llegaba al detalle sensual mórbido. Ejemplo de ello es el tema de la célebre "velada del angelito", que aparece en prosa o en verso criollo en el costumbrismo de tan diversas regiones como Cuba, Colombia, Chile y Costa Rica.

Una influencia extranjera vino a confluir con el costumbrismo en Hispanoamérica: la tendencia realista de Balzac. Tuvo representación sobresaliente y verdaderamente única en Chile. Alberto Blest Gana profesó haber decidido ser novelista después de conocer a Balzac. Posiblemente se sintiese atraído por las mismas cualidades avanzadas de estilo que proyectaban al maestro fuera del período romántico a que cronológicamente pertenecía. El estilo detallista y cotidiano de Balzac compaginaba con la tendencia costumbrista heredada de España. Tal vez se explique así el hecho de que las novelas de Blest Gana no resaltasen tanto por aquel tiempo a pesar de haberse adelantado el novelista, como figuara única en Hispanoamérica, en el género realista. En 1860, cuando fue premiada su primera novela, el jurado la celebró por el gran número de cuadros de costumbres comparables a los de Larra y *Jotabeche*.

Otro producto genuinamente americano formado en época romántica fue la novela gauchesca. La primera aparición del gaucho en la novela fue de patriota y rebelde romántico en *Caramurú*. Como figura rebelde de la sociedad, pertenece al grupo de bandidos y piratas que animó el cuadro romántico en Hispanoamérica. En el norte de Argentina figuró la legendaria Chapanay, arisca amazona, que después de afiliarse a una banda de salteadores, se disgustó y se dedicó entonces a proteger viajeros por parajes despoblados. En Venezuela, Zárate representa el tipo de rebelde que en la vida real constituyó un problema para las autoridades durante el período de reconstrucción nacional. Su paralelo se encuentra en el Zarco, en México, en donde ya habían aparecido los charros contrabandistas de la Hoja. Roberto Cofresí pasó a héroe romántico para encabezar una corta serie de novelas de piratas en Puerto Rico. La lista de este género de novelas se extiende e incluye figuras como Sir Francis Drake. Lo interesante de estos tipos individualistas o regionales es que contribuyeron a nacionalizar la novela romántica, especialmente en el caso de *Zárate*.

Los héroes románticos no siempre tuvieron tan marcada individualidad. Por lo general eran, adoptando el vocabulario romántico, idealistas, de nobles sentimientos y corazón sensible. El héroe hispanoamericano nunca perdía el deseo de vivir y luchar. Si moría era en la guerra. No hubo Werther hispanoamericano. La excepción resultaba el rebelde, la supuesta víctima de la sociedad. Entre los extremos de personalidad no había gradación. Las heroínas eran, por lo general, "luz y espíritu", como Marién. De constitución frágil, languidecían en la adolescencia. Excepción entre ellas fue Cumandá. Sus hermanos de la selva no la superaban en el manejo de la canoa, ni en la natación. En una ocasión no vaciló en tirarse al fondo del río para salvar a su compañero, el joven español.

Con la influencia del costumbrismo, los personajes de las novelas románticas se despejaron de su remoto idealismo y empezaron a ser caracterizados como tipos. Apareció el diálogo con más frecuencia y fue medio de caracterización realista. La heroína de la novela costumbrista era la muchacha corriente. Cecilia Valdés es la niña vivaracha que corre las calles del barrio. También con el costumbrismo aparece el niño héroe. Con él hay más tendencia a caracterización si no es más que en presentar la transición de la niñez a la adolescencia. Son pocos en la literatura romántica: Juan de la Rosa y Timoleón Coloma, ya mencionados, y los adolescentes en *Mercedes* (Lastarria), *La leyenda de los veinte años* (Tapia) y *Memorias de un abogado* (Milla). Cada uno es humilde héroe de novela biográfica. Como parte de la caracterización costumbrista, se debe mencionar la introducción del humor festivo en la novela romántica, bastante seria en su idealismo inicial. La humorada costumbrista baja al héroe de su pedestal para presentarlo con sus defectos, tal como es. Ahora hay que concretarse a llamar simplemente personajes o tipos a los héroes y heroínas que pasan por *La linterna mágica*.

La producción de novelas románticas varió considerablemente en los países hispanoamericanos según las circunstancias individuales de cada región. En el Paraguay la novela no se desarrolló durante el siglo XIX. De las repúblicas centroamericanas, sólo Guatemala tuvo una novelística romántica. No se puede implicar que el desarrollo de la novela esté proporcionalmente relacionado al desarrollo cultural del país. El Perú no produjo ninguna novela romántica memorable, pero alcanzó fama perdurable por un género aliado de relato que su autor llamó *tradición*. En Santo Domingo, donde no había en realidad una novelística, la primera novela cabal resultó ser una obra maestra. La novela romántica floreció con abundancia en México, Cuba, Colombia y Argentina. Proporcionalmente, Colombia y Ecuador produjeron las mejores obras.

Las fechas relativas de las obras maestras en la novela no son indicativas de la época de desarrollo de la novelística romántica en cada país. En México y en Cuba, donde la novela tuvo un desarrollo temprano, las dos mejores obras no se escribieron hasta la penúltima década del siglo. Es una observación general que las novelas escogidas del romanticismo son de fecha tardía. Como dato relativo, vale recordar que mientras Echeverría redactaba sus dogmas románticos en 1837, ya en México y en Cuba se escribían novelitas y novelas románticas. La primera versión de la novela costumbrista *Cecilia Valdés* es de 1839. En España, Fernán Caballero publica *La Gaviota*, novela de costumbres, en 1849. La primera novela de Alberto Blest Gana fue premiada en 1860. *Martín Rivas*, su obra maestra, de estilo realista, es de 1862. Por su fecha antecede por más de una década a las obras de Juan Valera, Pedro Antonio de Alarcón y Pereda.

En el recuento de las obras representativas de la novela de la escuela romántica en Hispanoamérica, resaltan las siguientes obras maestras:

Novela sentimental, *María*, 1867, de Jorge Isaacs, Colombia; por excepción, en el género de la novelita, *El capitán de Patricios*, (1843) 1887, de Juan María Gutiérrez, Argentina.

Novela de tesis, de índole sentimental, *La peregrinación de Bayoán,* 1863, de Eugenio María de Hostos, Puerto Rico.

Novela indianista, *Cumandá,* 1879, de Juan León Mera, Ecuador.

Novela histórica, *Amalia,* (1844) 1851, de José Mármol, Argentina; *Enriquillo,* 1882, de Manuel de Jesús Galván, Santo Domingo.

Novela biográfica, de índole histórica, *Juan de la Rosa,* 1885, de Nataniel Aguirre, Bolivia.

Novela costumbrista, *Cecilia Valdés,* (1839) 1882, de Cirilo Villaverde, Cuba; *Manuela,* 1866, de Eugenio Díaz Castro, Colombia.

Novela de bandido, de fondo histórico nacional, *El Zarco,* (1886) 1892, de Ignacio Manuel Altamirano, México.

Como excepción a la corriente romántica generalizada, novela realista, *Martín Rivas,* 1862, de Alberto Blest Gana, Chile.

De las novelas románticas, las que mantuvieron mayor armonía en las posibles cualidades de una obra maestra fueron *María, Cumandá* y *Enriquillo*. De las tres, la más notable es la primera, porque sobre su cualidades estilísticas de la escuela romántica y su verosimilitud artística, tiene la simpatía de su color local y la universalidad del drama humano.

En conclusión, se puede decir que, con la novela romántica, se estableció la novela hispanoamericana. Su más importante aportación fue la novela costumbrista. La novela romántica costumbrista fue la expresión del individualismo nacionalista. Suplió con su manera detallista y cotidiana al realismo hasta sentirse hacia 1880 la nueva corriente realista-naturalista europea. En el aspecto práctico, ésta ha sido la contribución perdurable de la novela romántica hispanoa-

mericana a la novela moderna. Intrínsicamente, la novela
romántica dio a Hispanoamérica obras que enriquecen hoy
día su novelística y que han sido admiradas aún fuera del
ámbito hispanoamericano.

BIBLIOGRAFIA

1. OBRAS DE CONSULTA

Argentina

ALBERDI, Juan Bautista: *Escritos satíricos y de crítica literaria.* Buenos Aires, A. Estrada, 1945, 335 págs.

COESTER, Alfred Lester: *A Tentative Bibliography of the Belles-lettres of the Argentine Republic.* Cambridge, Mass., Harvard University Press, 1933, XI-94 págs.

ECHAGÜE, Pedro: *Memorias y tradiciones.* Int. de Narciso S. Mallea. Buenos Aires, Vaccaro, 1922, 200 págs.

ECHEVERRÍA, Esteban: *Los ideales de mayo y la tiranía.* Pról. de Juan Bautista Alberdi y apéndice de Bartolomé Mitre. Buenos Aires, El Ateneo, 1928, 225 págs.

— *Obras completas.* Notas de Juan María Gutiérrez. Buenos Aires, C. Casavalle, 1870-74, 5 vols.

GIMÉNEZ PASTOR, Arturo: *Historia de la literatura argentina.* Buenos Aires-Montevideo, Editorial Labor, 1945, 2 vols.

GUTIÉRREZ, Juan María: *Críticas y narraciones.* Pról. de Juan B. Terán. Buenos Aires, El Ateneo, 1928 265 págs. (Grandes Escritores Argentinos, XII).

LÓPEZ, Vicente Fidel: *Evocaciones históricas.* Buenos Aires, El Ateneo, 1929, 213 págs.

MOYA, Ismael: *Orígenes del teatro y de la novela argentinos. La obra de Pedro Echagüe.* Buenos Aires, Denuble, 130 págs.

MÚJICA LÁINEZ, Manuel: *Miguel Cané (padre). Un romántico porteño.* Buenos Aires, C. E. P. A., 1942, 170 págs.

ROHDE, Jorge Max: *Las ideas estéticas en la literatura argentina.* Buenos Aires, Coni, 1821-26, 4 vols.

ROJAS, Ricardo: *La literatura argentina; ensayo filosófico sobre la evolución de la cultura en el Plata.* Buenos Aires, La Facultad, 1924-25, 8 vols. (*Obras*, VIII-XV)

Bolivia

DÍAZ MICHACAO, Porfirio: *Nataniel Aguirre.* Buenos Aires, Perlado, 1945, 319 págs.

DÍEZ MEDINA, Fernando: *Literatura boliviana.* La Paz, Alfonso Tejerina, 1953, 379 págs.

FINOT, Enrique: *Historia de la literatura boliviana.* México, Porrúa Hnos., 1943, XIX-474 págs.

GUZMÁN, Augusto: *Historia de la novela boliviana*. La Paz, Revista México, 1938, 216 págs.

LEAVITT, Sturgis Elleno: *A Tentative Bibliography of Bolivian Literature*. Cambridge, Mass., Harvard University Press, 1933, 23 págs.

RENÉ-MORENO, Gabriel: *Biblioteca boliviana. Catálogo de la sección de libros y folletos*. Santiago de Chile, Gutemberg, 1879, VIII-880 págs.

VACA GUZMÁN, Santiago: *La literatura boliviana: breve reseña*. Buenos Aires, Coni, 1883, 206 págs.

Colombia

CAMACHO ROLDÁN, Salvador: *Estudios*. Bogotá, Minerva, 1936, 180 págs. (Biblioteca Aldeana de Colombia, XLVI).

ENGLEKIRK, John E. y Wade, Gerald E.: *Bibliografía de la novela colombiana*, México, 1950, 132 págs.

GÓMEZ RESTREPO, Antonio: "La literatura colombiana". *Revue Hispanique*, 1918, XLIII, págs. 79-204.

ORTEGA TORRES, José Joaquín: *Historia de la literatura colombiana*. Bogotá, Cromos, 1935, 1214 págs.

OTERO MUÑOZ, Gustavo: *Semblanzas colombianas*. Bogotá, ABC, 1938, 2 vols.

— "Soledad Acosta de Samper". *Boletín de Historia y Antigüedades*, 1937, XXIV, págs. 257-283.

VEGA, Fernando de la: *Crítica*. Bogotá, 1936, 188 págs. (Biblioteca Aldeana de Colombia, LVI).

SANÍN CANO, Baldomero: *Letras colombianas*. México, Fondo de Cultura Económica, 1944, 213 págs.

VERGARA Y VERGARA, José María: *Artículos literarios*. Noticia biográfica por D. José M. Samper. Londres, J. M. Fonnegra, 1885, 1 vol.

Costa Rica

BONILLA, Abelardo: *Letras costarricenses; selección y reseña de la historia cultural de Costa Rica*. Buenos Aires, Jackson, 1946, 350 págs.

NÚÑEZ, Francisco María: *Itinerario de la novela costarricense*. San José, 1947, 47 págs.

SOTELA, Rogelio: *Escritores de Costa Rica*. San José, Lehmann & Cía., 1942, 876 págs.

Cuba

CALCAGNO, Francisco: *Diccionario biográfico cubano*. Nueva York, N. Ponce de León, 1878, 727 págs.

CARBONELL, José Manuel: *La prosa en Cuba*. La Habana, Montalvo y Cárdenas, 1928, 5 vols. (*Evolución de la cultura cubana*, 1608-1927, XII-XVI).

COTARELO Y MORI, Emilio: *La Avellaneda y sus obras*. Madrid, Tipografía de Archivos, 1930, 451 págs.

CRUZ, Manuel de la: *Obras*. Madrid, Calleja, 1924-26, 7 vols.

CHACÓN Y CALVO, José María. *Ensayos de literatura cubana*. Madrid, Calleja, 1922, 277 págs.

ENTRALGO, Elías José: *Domingo Delmonte*. La Habana, Cultural, S. A., 1940, 16 págs.

— "Humanismo y humanitarismo de Domingo Delmonte". *Cuadernos de Cultura*, 1936, III serie, n.º 2, 123 págs.

FERNÁNDEZ DE CASTRO, José Antonio: *El tema negro en las letras de Cuba* (1608-1935). La Habana, Ediciones Mirador, 1943, 95 págs.

FIGAROLA-CANEDA, Domingo: *Gertrudis Gómez de Avellaneda*. Madrid, Sociedad General Española de Librería, 1929 295 págs.

FORD, Jeremiah D. M.: *A Bibliography of Cuban Belles-lettres*. Cambridge, Mass., Harvard University Press, 1933, X-204 págs.

GONZÁLEZ DEL VALLE, Francisco: "La vida literaria en Cuba (1836-1840)". *Cuadernos de Cultura*, 1938, IV serie, n.º 5, 180 págs.

MITJANS, Aurelio: *Historia de la literatura cubana*. Madrid, América, 1918, 389 págs.

REMOS Y RUBIO, Juan José: *Historia de la literatura cubana*. La Habana, Cárdenas & Cía., 1945, 3 vols.

SALAZAR, Salvador: *La novela cubana*; *sus manifestaciones, ideales y posibilidades*. La Habana, Molina & Cía., 1934, 45 págs.

SUÁREZ Y ROMERO, Anselmo: "Prólogo", *Obras* de Ramón de Palma, La Habana, El Tiempo, 1861, 1 vol., xxxv págs.

Chile

AMUNÁTEGUI, Miguel Luis: *Don José Joaquín de Mora*. Santiago de Chile, Nacional, 1888, 351 págs.

AMUNÁTEGUI Y SOLAR, Domingo: *Las letras chilenas*. Santiago de Chile, Nascimiento, 1934, 379 págs.

BELLO, Andrés: *Obras*. Santiago de Chile, P. G. Rámirez, 1881-1893, 15 vols.

HUNEEUS Y GANA, Jorge: *Cuadro histórico de la producción intelec-*

tual de Chile. Santiago de Chile, 1910, XVI-880 págs. (Biblioteca de escritores de Chile, I).

LASTARRIA, José Victorino: *Miscelánea histórica y literaria.* Valparaíso, Chile, La Patria, 1860-70, 3 vols.

— *Recuerdos literarios; datos para la historia literaria de la América española y del progreso intelectual en Chile.* Santiago de Chile, M. Servat, 1885, 605 págs.

PINILLA, Norberto: *La generación chilena de 1842.* Santiago de Chile, Ediciones de la Universidad de Chile, 1943, 277 págs.

— *La polémica del romanticismo en 1842: V. F. López, D. F. Sarmiento, S. Sanfuentes.* Buenos Aires, Editorial Americalee, 1943, 142 págs.

— ROJAS, Manuel; LAGO Toneás: *1842: panorama y significación del movimiento literario. JOSÉ JOAQUÍN VALLEJO. Sobre el romanticismo.* Santiago de Chile, Universidad de Chile, 1942, 122 páginas.

SARMIENTO, Domingo Faustino: *Obras.* París, Belin Hnos., 1895-1909, 53 vols. (I y II vol.: *Artículos críticos y literarios*).

SILVA ARRIAGADA, Luis Ignacio: *La novela en Chile.* Santiago de Chile, Imp. Barcelona, 1910, 523 págs.

SILVA CASTRO, Raúl: *Alberto Blest Gana (1830-1920). Estudio biográfico y crítico.* Santiago de Chile, Valenzuela Basterrica & Cía., 1941, 652 págs.

ZAMUDIO Z., José: *La novela histórica en Chile.* Santiago de Chile, Ediciones Flor Nacional, 1949, 60 págs.

Ecuador

BARRERA, Isaac J.: "Juan León Mera y el americanismo literario". *Anales,* Universidad Central, Quito, 1932, XLIX, págs. 199-214.

— — *Literatura ecuatoriana, apuntaciones históricas.* Quito, Editorial Ecuatoriana, 1939.

CARRIÓN, Benjamín: *El nuevo relato ecuatoriano.* Quito, Casa de Cultura Ecuatoriana, 1950, 2 vols.

CEVALLOS, Pedro Fermín: *Resumen de la historia del Ecuador.* Guayaquil, La Nación, 1889, 6 vols.

GUEVARA, Darío C.: *Juan León Mera: o, El hombre de cimas.* Quito, Ministerio de Educación Pública, 1944, 287 págs.

MERA, Juan León: *Ojeada histórico-crítica sobre la poesía ecuatoriana desde su época más remota hasta nuestros días.* Barcelona, J. Cunil Sala, 1893, X-633 págs.

— "Prólogo", *La virgen del sol. Melodías indígenas.* Barcelona, Crédito Catalán, 1887.

RIVERA, Guillermo: *A Tentative Bibliography of the Balleslettres of Ecuador*. Cambridge, Mass., Harvard University Press, 1934.

ROJAS, Angel F.: *La novela ecuatoriana*. México, Fondo de Cultura Económica, 1948, 234 págs.

Guatemala

BATRES JUÁREGUI, Antonio: *Literatos guatemaltecos: Landívar e Irisarri, con un discurso preliminar sobre el desenvolvimiento de las ciencias y letras en Guatemala*. Guatemala, Tipografía Nacional, 1896, 312 págs.

— *Literatura americana; colección de artículos*. Guatemala, El Progreso, 1879, 502 págs.

VELA, David: *Literatura guatemalteca*. Guatemala, Tipografía Nacional, 1943-44, 2 vols.

Honduras

DOYLE, Henry Grattan: *A Tentative Bibliography of the Belleslettres of the Republics of Central America*. Cambridge, Mass., Harvard University Press, 1935, XVIII-136 págs.

DURÓN, Jorge Fidel: *Indice de la bibliografía hondureña*. Tegucigalpa, Imprenta Calderón, 1946, VIII-211 págs.

— *Repertorio bibliográfico hondureño*. Tegucigalpa, Imprenta Calderón, 1943.

México

AGÜEROS, Victoriano: *Artículos literarios*. México, I. Cum. 1880, 400 págs.

ALTAMIRANO, Ignacio Manuel: *La literatura nacional*; *revistas, ensayos, biografías y prólogos*. Ed. y pról. de José Luis Martínez. México, Porrúa, 1949, 3 vols.

— *Revistas literarias de México*. México, T. F. Neve, 1868, 203 páginas.

BRUSHWOOD, John Stubbs. "The Romantic Novel in Mexico". *The University of Missouri Studies*, 1954, XXVI, n.º 4, 98 págs.

CASTILLO LEDÓN, Luis: *Orígenes de la novela en México*, México, Imp. del Museo Nacional, 1922, 15 págs.

GAMBOA, Federico: *La novela mexicana*. México, E. Gómez de la Puente, 1914, 27 págs.

GONZÁLEZ OBREGÓN, Luis: *Biografía de D. Ignacio Manuel Altamirano*. México, Sagrado Corazón de Jesús, 1893, 24 págs.

— *Breve noticia de los novelistas mexicanos del siglo XIX*. México, O. R. Spíndola & Cía., 1889, 63 págs.

GONZÁLEZ PEÑA, Carlos: *Historia de la literatura mexicana desde los orígenes hasta nuestros días*. México, Porrúa, 1949, XIII-454 págs.

IGUÍNIZ, Juan B. *Bibliografía de novelistas mexicanos*. Precedido de un estudio histórico de la novela mexicana por Francisco Monteverde García Icazbalceta. México, Monografías Bibliográficas Mexicanas, 1926, XXV-432 págs.

JIMÉNEZ RUEDA, Julio: *Letras mexicanas en el siglo XIX*. México, Fondo de Cultura Económica, 1944, 189 págs. (Colección Tierra Firme, III).

PIMENTEL, Francisco: *Obras completas*. México, Tipografía Económica, 1903-1904, 5 vols.

PRIETO, Guillermo: *Memorias de mis tiempos*. París-México, Vda. de C. Bouret, 1906, 2 vols.

READ, John Lloyd: *The Mexican Historical Novel, 1826-1910*. Nueva York, Instituto de las Españas en los Estados Unidos, 1939, XIV-337 págs.

TORRES RIOSECO, Arturo: *Bibliografía de la novela mexicana*. Cambridge, Mass., Harvard University Press., 1933, VIII-58 págs.

URBINA, Luis G.: *La vida literaria de México*. Madrid, Saez Hnos., 1917, 239 págs.

Nicaragua

AGUILAR, Jerónimo: *Apuntes para una antología*. León, Nicaragua, La Prensa, 1926, 83 págs.

DOYLE, Henry Grattan: *A Tentative Bibliography of the Belleslettres of the Republics of Central America*. Cambridge, Nass., Harvard University Press, 1935, XVIII-136 págs.

ENRIQUE GUZMÁN SELVA. *Huellas de su pensamiento*. Política. Historia. Literatura, Religión. Granada, Nicaragua, El Centroamericano, 1943, 351 págs.

OSORNO FONSECA, Humberto: *Los grandes ignorados*. Managua, Atlántida, 1940.

Panamá

DOYLE, Henry Grattan: *A Tentative Bibliography of the Belleslettres of Panamá*. Cambridge, Mass., Harvard University Press, 1934.

MIRÓ, Rodrigo: *Orígenes de la literatura novelesca en Panamá.* Panamá, Ministerio de Educación, 1948, 29 págs.

— *Teoría de la patria; notas y ensayos sobre literatura panameña, seguidos de tres ensayos de interpretación histórica.* Buenos Aires, 1947, 164 págs.

SUSTO, Juan Antonio y ELIET, Simón: *La vida y la obra del Dr. Gil Colunje.* Panamá, Imprenta Nacional, 1931, XIII-154 págs.

Paraguay

BÁEZ, Cecilio: *Resumen de la historia del Paraguay desde la época de la conquista hasta el año 1880.* Seguido de la historia particular de la instrucción pública desde el gobierno de Domingo Martínez de Irala hasta nuestros días. Asunción, H. Kraus, 1910, 256 págs.

CENTURIÓN, Carlos R.: *Historia de las letras paraguayas.* Buenos Aires, Ayacucho, 1947-51, 3 vols.

DECOUD, José Secundo: *La literatura en el Paraguay.* Buenos Aires, J. Peuser, 1889, 18 págs.

GONZÁLEZ, Juan Natalicio e YNSFRÁN, Pablo M.: *El Paraguay contemporáneo,* París-Asunción, Editorial de Indias, 1929, 196 págs.

GONZÁLEZ: *Solano López y otros ensayos.* París-Asunción, Editorial de Indias, 1926, 167 págs.

RAPHAEL, Maxwell Isaac y FORD, Jeremiah D. M.: *A Tentative Bibliography of Paraguayan Literature.* Cambridge, Mass., Harvard University Press, 1934, XI-25 págs.

RODRÍGUEZ-ALCALÁ, José: *El Paraguay en marcha.* Epílogo de Mariano L. Olleros, Asunción, M. W. Chaves, 1907, 560 págs.

WARREN, Harris Gaylord: *Paraguay. An Informal History.* Norman, Oklahoma, University of Oklahoma Press, 1949, 393 págs.

Perú

BORJA, José Jiménez: "Luis Benjamín Cisneros". *Letras,* Lima, 1937, págs. 223-236.

PALMA, Ricardo: *Recuerdos de España.* Precedidos de *La bohemia de mi tiempo.* Lima, La Industria, 1899, 311 págs.

RIVA AGUERO, José de la: *Carácter de la literatura del Perú independiente.* Lima, Galland, 1905, 299 págs.

SÁNCHEZ, Luis Alberto: *La literatura peruana, derrotero para una literatura espiritual del Perú.* Buenos Aires, Guaranía, 1950-51, 6 vols.

Puerto Rico

GÓMEZ TEJERA, Carmen: *La novela en Puerto Rico, apuntes para su historia.* San Juan, Universidad de Puerto Rico, 1947, 138 págs.

QUIÑONES, Samuel R.: *Temas y letras.* San Juan, Biblioteca de Autores Puertorriqueños, 1942, 184 págs.

RIVERA, Guillermo: *A Tentative Bibliography of the Belleslettres of Porto Rico.* Cambridge, Mass., Harvard University Press, 1931, VIII-61 págs.

SAMA, Manuel María: *Bibliografía puertorriqueña.* Mayagüez, Puerto Rico, Tipografía Comercial Marina, 1887, 159 págs.

TAPIA Y RIVERA, Alejandro: *Mis memorias, o Puerto Rico como lo encontré y como lo dejo.* Nueva York, De Laisne & Rossoboro Inc., 1928, 226 págs.

El Salvador

CASTAÑEDA, Francisco: *Estudios y artículos literarios.* Pról. de Calixto Velado. San Salvador, Imprenta Nacional, 1890, XIV-459 págs.

DOYLE, Henry Grattan: *A Tentative Bibliography of the Belleslettres of the Republics of Central America.* Cambridge, Mass., Harvard University Press, 1935, XVIII-136 págs.

URIARTE, Juan Ramón: *Los poetas novios de Cuscatlán.* Seguido de *Síntesis histórica de la literatura salvadoreña.* San Salvador, Diario del Salvador, 1925, 89 págs.

Santo Domingo

BALAGUER, Joaquín: *Letras dominicanas.* Santiago, R. D., El Diario, 1944, VIII-239 págs.

— *Literatura dominicana.* Buenos Aires, América, 1950, 365 págs.

HENRÍQUEZ UREÑA, Max: *Panorama histórico de la literatura dominicana.* Río de Janeiro, Compañía Brasileña de Artes Gráficas, 1945, 337 págs.

MARTÍ, José: Carta a Manuel de Jesús Galván. *Obras completas.* La Habana, Trópico, 1936-43, vol. XIX, págs. 207-208.

MEJÍA, Abigaíl: *Historia de la literatura dominicana.* Santiago, R. D., El Diario, 1943, 162 págs.

WAXMAN, Samuel Montefiore: *A Bibliography of the Belles-lettres of Santo Domingo.* Cambridge, Mass., Harvard University Press, 1931, X-31 págs.

Uruguay

ALBERDI, Juan Bautista: *Obras selectas.* Int. de Joaquín V. González. Buenos Aires, La Facultad, 1920, 2 vols.

CAILLAVA, Domingo A.: *Historia de la literatura gauchesca en el Uruguay.* Montevideo, Claudio García & Cía., 1945, 223 págs.

COESTER, Alfred Lester: *A Tentative Bibliography of the Belleslettres of Uruguay.* Cambridge, Mass., Harvard University Press, 1931, VIII-22 págs.

CRISPO ACOSTA, Oswaldo (*Lauxar*): *Motivos de crítica hispanoamericanos,* Montevideo, Mercurio, 1914, 444 págs.

LAMAS, Andrés: *Escritos selectos.* Montevideo, Arduino Hnos., 1922-52, 3 vols.

ROXLO, Carlos: *Historia crítica de la literatura uruguaya.* Montevideo, A. Barreiro y Ramos, 1912-16, 7 vols.

ZUM FELDE, Alberto: *Proceso intelectual del Uruguay y crítica de su literatura.* Montevideo, Imprenta Nacional Colorada, 1930, 3 vols.

Venezuela

CALCAÑO, Julio: *Reseña histórica de la literatura venezolana.* Caracas, El Cojo, 1888, 29 págs.

GÜELL Y MERCADER, José: *Literatura venezolana.* Caracas, La Opinión Nacional, 1883, 2 vols.

PICÓN FEBRES, Gonzalo: *La literatura venezolana en el siglo XIX.* Caracas, El Cojo, 1906, 420 págs.

RATCLIFF, Dillwyn Fritschel: *Venezuelan Prose Fiction.* Nueva York, Instituto de las Españas en los Estados Unidos, 1933.

ROJAS, J. M.: *Biblioteca de escritores venezolanos contemporáneos ordenada con noticias biográficas.* Caracas-París, 1875.

TEJERA, Felipe: *Perfiles venezolanos; galería de hombres célebres de Venezuela en letras, ciencias y artes.* Caracas, Sanz, 1881, xviii-478 págs.

WAXMAN, Samuel Montefiore: *A Bibligraphy of the Belles-lettres of Venezuela.* Cambridge, Mass., Harvard University Press, 1935, xii-145 págs.

Hispanoamérica

BARBAGELATA, Hugo David: *La novela y el cuento en Hispanoamérica.* Montevideo, Enrique Miguez & Cía., 1947, 319 págs.

HENRÍQUEZ UREÑA, Pedro: *Las corrientes literarias en la América Hispana.* México, Fondo de Cultura Económica, 1949, 342 págs.

GRISMER, Raymond Leonard: *A Reference Index to Twelve Thousand Spanish American Authors; a Guide to the Literature of Spanish America.* Nueva York, H. W. Wilson Co., 1939, xvi-150 págs.

MELÉNDEZ, Concha: *La novela indianista en Hispanoamérica.* Madrid, Hernando, 1934, 199 págs.

MENÉNDEZ Y PELAYO, Marcelino: *Historia de la poesía hispanoamericana.* Santander, Aldus, 1948, 2 vols.

SÁNCHEZ, Luis Alberto: *Proceso y contenido de la novela hispanoamericana.* Madrid, Gredos, 1953, 666 págs.

VALERA Y ALCALÁ GALIANO, Juan: *Cartas americanas.* Madrid, Imprenta Alemana, 1915-16, 4 vols.

2. NOVELAS

Argentina

CANÉ, Miguel: *Esther.* Noticia de Ricardo Rojas. Buenos Aires, Instituto de Literatura Argentina. Sección de documentos, 1929, IV serie, I vol., n.º 7, págs. 273-322.

— *La familia de Sconner.* Noticia de Narciso Binayán. Buenos Aires, Instituto de Literatura Argentina. Sección de documentos, 1930, IV serie, I vol., n.º 10, págs. 411-483.

ECHAGÜE, Pedro: *Cuatro noches en el mar, o Amalia y Amelia.* San Juan, Argentina, La Unión, 1886, 78 págs.

— *Dos novelas regionales. La rinconada. La Chapanay.* Própl. de Margarita Mugnos de Escudero. Buenos Aires, El Ateneo, 1931, 215 págs. (Grandes Escritores Argentinos, XXXIX).

— *La rinconada.* Própl. de Ernestina Echegaray de Andino. Apéndice: "Vida y obra de D. Pedro Echagüe", de Alfredo Monla Figueroa. Buenos Aires, Coni, 1924, 219 págs.

GORRITI, Juana Manuela: *Panoramas de la vida.* Colección de novelas, fantasías, leyendas y descripciones americanas. Buenos Aires, Mayo, 1876.

— *El pozo de Yocci.* Buenos Aires, Instituto de Literatura Argentina. Sección de documentos, 1929, IV serie, I vol., n.º 5, págs. 173-236.

— *Sueños y realidades* (novelitas). Buenos Aires, La Nación, 1907, 2 vols.

GUTIÉRREZ, Juan María: *El capitán de Patricios.* Buenos Aires, Instituto de Literatura Argentina. Sección de documentos, 1928, IV serie, I vol., núms. 2-3, págs. 43-87.

GUTIÉRREZ, Eduardo: *Juan Moreira*. Buenos Aires, Tor (193-), 303 págs. (Lecturas Selectas, II serie, XV).

LÓPEZ, Vicente Fidel: *La Loca de la Guardia*. Buenos Aires, A. V. López (19-), 501 págs.

— *La novia del hereje, o La Inquisición de Lima*. Con una semblanza del autor por Juan Agustín García. Buenos Aires, La Cultura Argentina, 1917, 422 págs.

MÁRMOL, José: *Amalia*. Pról. y notas de Adolfo Mitre. Buenos Aires, Estrada, 1944.

MITRE, Bartolomé: *Soledad*. Buenos Aires, Instituto de Literatura Argentina. Sección de documentos, 1928, IV serie, I vol., n.º 4, págs. 93-168.

Bolivia

AGUIRRE, Nataniel: *Juan de la Rosa; memorias del último soldado de la independencia*. Cochabamba, Bolivia, América, 1943, XVIII-404 págs.

CABALLERO, Manuel María: *La isla*. Kollasuyo, 1941, año III, núms. 31-32.

GUZMÁN, Santiago Vaca: *Días amargos, páginas del libro de memorias de un pesimista*. Pról. de Juana M. Gorriti; juicio de Mariano A. Pelliza; noticia bibliográfica de Juan A. Piaggio. Buenos Aires, J. Peuser, 1891.

— *¡Sin esperanza!* Buenos Aires, J. Peuser, 1891, 214 págs.

— *Su Excelencia y Su Ilustrísima; una historia verdadera con muchas trazas de novela*. Buenos Aires, Moen, 1889, 224 págs.

LEMOINE, Joaquín: *El mulato Plácido, o El poeta mártir*. Santiago de Chile, A. y M. Echeverría, 1875.

Colombia

ACOSTA DE SAMPER, Soledad: *Episodios novelescos de la historia patria; la insurrección de los comuneros*. Bogotá, La Luz, 1887, VII-191 págs.

— *Novelas y cuadros de la vida sur-americana*. Gante, 1869, 438 págs.

— *Los piratas en Cartagena*. Bogotá, Ministerio de Educación, 1946, XXVII-230.

CAICEDO ROJAS, José: *Escritos escogidos*. Bogotá, Zalamea Hnos. 1883 y 1891, 2 vols. (II: *Don Alvaro*).

DÍAZ CASTRO, Eugenio: *Manuela*. Bogotá, Kelly (1942), 455 págs. (Biblioteca Popular de Cultura Colombiana, XIX).

— *El rejo de enlazar.* Bogotá, Kelly (1942) (Biblioteca Popular de Cultura Colombiana, VII).

GUARÍN, José David: *Las tres semanas.* Bogotá, Editorial ABC, (1942), XII-183 págs.

ISAACS, Jorge: *María.* Bogotá, Editorial ABC (1942), 335 págs. (Biblioteca Popular de Cultura Colombiana, XXIX).

PALACIOS, Eustaquio: *El alférez real.* Bogotá, Kelly (1943), 321 págs. (Biblioteca Popular de Cultura Colombiana, VI).

PÉREZ, Felipe: *Los gigantes.* Bogotá, Gaitán, 1875, 360 págs.

— *Jilma.* Bogotá, Ovalles & Cía., 1858, 211 págs.

— *Los Pizarros.* Bogotá, Echeverría Hnos., 1857, 556 págs.

SAMPER, José María: *Los claveles de Julia. Escenas de la vida peruana.* Bogotá, Zalamea Hnos., 1881, 292 págs.

— *Historia de un alma, 1834-1881.* Bogotá, Ministerio de Educación, 1946, I vol. (Biblioteca Popular de Cultura Colombiana. Historia, I).

— *El poeta soldado. Escenas de la vida colombiana.* Bogotá, Zalamea Hnos., 1881, 327 págs.

SILVESTRE, Luis Segundo de: *Tránsito.* Bogotá, Minerva (1936), 172 págs. (Biblioteca Aldeana de Colombia, XIV).

Costa Rica

ARGÜELLO MORA, Manuel: *Costa Rica pintoresca. Sus leyendas y tradiciones. Colección de novelas, cuentos, historias y paisajes.* San José, María V. de Lines, 1899, 320 págs.

Cuba

BETANCOURT, José Ramón de: *Una feria de la Caridad en 183...* La Habana, Soler, 1858, 237 págs.

— *Colección de novelas, cuentos y leyendas de autores cubanos.* La Habana, Biblioteca de la Revista, III. (Contiene: *Antonelli,* José Antonio Echeverría. *El espetón de oro,* Cirilo Villaverde).

GÓMEZ DE AVELLANEDA, Gertrudis: *Obras literarias.* Madrid, M. Rivadeneyra, 1869-71, 5 vols. (IV y V: novelas y leyendas).

— *Obras.* Edición nacional del centenario. La Habana, A. Miranda, 1914, 6 vols. (IV y V: novelas y leyendas).

MERLÍN, María de las Mercedes Santa Cruz, condesa de: *Mis doce primeros años e Historia de sor Inés.* La Habana, El Siglo XX, 1922, 249 págs.

PALMA, Ramón de: *Cuentos cubanos.* Int. de A. M. Eligio de la Puente. La Habana, Cultural, 1928, XLIV-299 págs. (Colección de Libros Cubanos, IV).

PICHARDO Y TAPIA, Esteban: *El fatalista.* La Habana, Soler, 1866, 449 págs.

PIÑA, Ramón: *Gerónimo el honrado.* Pról. de Manuel Cañete. Madrid, Rivadeneyra, 1859, XIV-346 págs.

— *Historia de un bribón dichoso.* Pról. de Francisco Cutanda. Madrid, M. Tello, 1860, XXII-421 págs.

SUÁREZ Y ROMERO, Anselmo: *Francisco.* Nueva York, N. Ponce de León, 1880, 156 págs.

TANCO, Félix Manuel: *Escenas de la vida privada en Cuba. Petrona y Rosalía. Cuba Contemporánea,* 1925, año XIII, XXXIX, n.º 156, págs. 255-287.

VILLAVERDE, Cirilo: *Cecilia Valdés, o La loma del Angel.* Nueva York, El Espejo, 1882, XI-590 págs.

— *Cuentos de mi abuelo. El penitente.* Nueva York, M. M. Hernández, 1889, 142 págs.

— *Dos amores.* Int. de A. M. Eligio de la Puente. La Habana, Cultural, 1930, XXXIV-238 págs. (Colección de Libros Cubanos, XIV).

— *El guajiro.* La Habana, La Lucha, 1890, 144 págs.

— *La joven de la flecha de oro.* La Habana, R. Oliva, 1841, 328 págs.

Chile

BILBAO, Manuel: *El Inquisidor Mayor.—Los dos hermanos.—El pirata del Huayas.* Buenos Aires, La Sociedad Anónima, 1871, 588 págs.

LASTARRIA, José Victorino: *Antaño y ogaño. Novelas y cuentos de la vida hispanoamericana.* Santiago de Chile, 1885, 328 págs.

Ecuador

MERA, Juan León: *Cumandá, o Un drama entre salvajes.* Quito, J. Guzmán Almeida, 1879, 233 págs.

— *Novelitas ecuatorianas.* Madrid, R. Fe, 1909, 271 págs.

TOBAR, Carlos R.: *Más brochadas, malos dibujos.—Timoleón Coloma.* Barcelona, Luis Tasso Serra, 1888, 216 págs.

Guatemala

IRISARRI, Antonio José de: *El cristiano errante.* Santiago de Chile, Imprenta Universitaria, 1929, 326 págs.

MENCOS FRANCO, Agustín: *Don Juan Núñez García.* Guatemala, El Comercio (1898), V-228 págs.

MILLA Y VIDAURRE, José: *La hija del Adelantado.—Memorias de un abogado.* Guatemala, Tipografía Nacional, 1936, 552 págs. (Colección Juan Cahpín, V).

— *Historia de un pepe.—Don Bonifacio.* Guatemala, Tipografía Nacional, 1937, 540 págs. (Colección Juan Cahpín, IX).

— *Los nazarenos.* Guatemala, Tipografía Nacional, 1935, 448 págs. (Colección Juan Chapín, II).

— *El Visitador.* Pról. de Juan Aycinena; apuntes de F. Hernández de León. Guatemala, Tipografía Nacional, 1935, 24, XV, 636 págs. (Colección Juan Chapín, I).

México

ALTAMIRANO, Ignacio Manuel: *Clemencia.* México, Porrúa, 1944, 238 págs. (Colección de Escritores Mexicanos, III).

— *La Navidad en las montañas.* París, Biblioteca de Europa y América, 1891, 156 págs.

— *El Zarco. Episodios de la vida mexicana en 1861-63.* Pról. de Francisco Sosa. México, J. Ballescá & Cía., 1901, 286 págs.

ANCONA, Eligio: *La cruz y la espada.* Mérida, Editorial Club del Libro, 1950, 256 págs.

— *Los mártires del Anahuac.* México, J. Batiza, 1870, 2 vols. en 1.

— *Memorias de un alférez.* Mérida, El Peninsular, 1904, 2 vols.

ANCONA Y CARRILLO, Crescencio: *Historia de Welinna.* Mérida, J. D. Espinosa, 1862, 78 págs.

CASTERA, Pedro: *Carmen, memorias de un corazón.* Ed. y pról. de Carlos González Peña. México, Perrúa, 1950, 309 págs. (Colección de escritores mexicanos, LXII).

CASTILLO, Florencio María del: *Obras. Novelas cortas.* Biog. por Alejandro Villaseñor. México, V. Agueros, 1902, XXII-501 págs. (Biblioteca de Autores Mexicanos, XLIV).

CUÉLLAR, José Tomás de: *Ensalada de pollos.—Baile y cochino.* Ed. y pról. de Antonio Castro Leal. México, Porrúa, 1946, 379 págs.

— *Historia de Chucho el ninfo.—La Noche Buena.* Ed. y pról. de Castro Leal. México, Porrúa, 1947, XIV-349 págs. (Colección de Escritores Mexicanos, XLV).

DÍAZ COVARRUBIAS, Juan: *Obras completas.* México, M. Castro, 1859-60, VIII-832 págs. (Contiene *La sensitiva, Gil Gómez, el insurgente, La clase media, El diablo en México*).

INCLÁN, Luis Gonzaga: *Astucia, el jefe de los Hermanos de la Hoja, o Los charros contrabandistas de la Rama.* México, Publicaciones Herrerías, 1939, 2 vols. en 1.

MATEOS, Juan: *El cerro de las campanas. Memorias de un guerrillero.* México, I. Cumplido, 1868, VII-757 págs.

— *Los insurgentes.* México, El Comercio, 1869, 600 págs.

— *Sacerdote y caudillo. Memorias de la insurrección.* México, I. Cumplido, 1869, 812 págs.

— *El sol de mayo. Memorias de la intervención.* México, I. Cumplido, 1868, 754 págs.

OROZCO Y BERRA, Fernando: *La guerra de treinta años.* México, V. García Torres, 1850, 2 vols.

PAYNO, Manuel: *El fistol del diablo, novela de costumbres mexicanas.* Barcelona-México, J. F. Parres & Cía., 1887, 2 vols.

— *El hombre de la situación.* Pról. de Luis González Obregón. México, León Sánchez, 1929, 263 págs.

PAZ, Ireneo: *Amor y suplicio.* México, I Paz, 1881, 2 vols. en 1.

RAMÍREZ, José María: *Una rosa y un harapo.* México, F. Díaz de León y Santiago White, 1868.

RIVA PALACIO, Vicente: *Calvario y tabor.* México, L. Sánchez, 1923, 2 vols. en 1.

— *Las dos emparedadas. Memorias de los tiempos de la Inquisición.* México, Manuel C. Villegas, 1869, 608 págs.

— *Martín Garatuza. Memorias de la Inquisición.* México, Manuel C. Villegas, 1868, 600 págs.

— *Monja y casada, virgen y mártir.* Ed. y pról. de Antonio Castro Leal. México, Porrúa, 1945, 2 vols. (Colección de Escritores Mexicanos, XVIII-XIX).

RIVERA Y RÍO, José: *Los dramas de Nueva York.* México, 1869, 2 vols. en 1.

— *Esqueletos sociales.* México, J. Rivera, Hijo, & Cía., 1870, 383 páginas.

SIERRA DE O'REILLY, Justo: *La hija del judío.* "Dos palabras" de Crescencio Carrillo Ancona. México, V. Agüeros, 1908, 2 vols. (Biblioteca de Autores Mexicanos, LXIII, LXV).

— *Un año en el hospital de San Lázaro.* México, V. Agüeros, 1905, 2 vols. (Biblioteca de Autores Mexicanos, LIV, LV).

TOVAR, Pantaleón: *Ironías de la vida. Novela de costumbres nacionales.* México, J. M. Lara, 1851, 2 vols.

Panamá

COLUNJE, Gil: *La virtud triunfante.* Panamá, M. R. de la Torre e Hijos, 1901, 36 págs.

JAÉN, Jeremías: *Mélida.* Nueva York, Louis Weiss, 1888, 626 páginas.

Perú

ARÉSTEGUI, Narciso: *El angel salvador. Leyenda histórica.* Lima, La Patria, 1872, 116 págs.

— *El padre Horán, escenas de la vida del Cuzco.* Cuzco, El Comercio, 1918, 6 vols.

CASÓS, Fernando: *Romance contemporáneo sobre el Perú* (1867). ¡¡*Los hombres de bien*!! París, E. Denné Schmitz, 1874, 272 páginas.

— *Romances históricos del Perú, 1848 a 1873. Los amigos de Elena diez años antes.* París, Poissy, 1874, 2 vols.

CISNEROS, Luis Benjamín: *Obras completas.* Lima, Gil, 1939, 3 vols. (III: *Julia, o Escenas de la vida en Lima. Edgardo, o Un joven de mi generación*).

Puerto Rico

HOSTOS Y BONILLA, Eugenio María de: *La peregrinación de Bayoán.* La Habana, Cultural, (1939), 320 págs. (*Obras completas*, VIII).

TAPIA Y RIVERA, Alejandro: *El bardo de Guamaní. Ensayos literarios.* La Habana, El Tiempo, 1862, 616 págs. (Contiene: *La palma del cacique, La antigua sirena, El heliotropo*).

— *Cofresí.* San Juan, Imprenta Venezuela, 1943, 268 págs.

— *La leyenda de los veinte años. A orillas del Rhin.* San Juan, 1952, 123 págs.

Santo Domingo

ANGULO GURIDI, Javier: *La campana del higo. La ciguapa. Silvio.* Santo Domingo, García Hnos., 1866, 32, 15, 72 págs.

BILLINI, Francisco Gregorio: *Baní, o Engracia y Antoñita.* Santo Domingo, El Eco de la Opinión, 1892, 506 págs.

GALVÁN, Manuel de Jesús: *Enriquillo, leyenda histórica dominicana* (1503-1533). Santo Domingo, García Hnos., 1882, 336 páginas.

Uruguay

MAGARIÑOS CERVANTES, Alejandro: *Caramurú.* Montevideo, G. García & Cía., 1939, 239 págs.

MUÑOZ, Daniel: *Cristina; bosquejo de un romance de amor.* Montevideo, La Minerva, 1885, 130 págs.

RAMÍREZ, Carlos María: *Los amores de Marta.* Montevideo, A. Barreiro y Ramos, 1884.

Venezuela

BLANCO, Eduardo: *Una noche en Ferrara, o La penitente de los teatinos.* Caracas, Imprenta Federal. 1875, 229 págs.

— *Zárate.* Caracas, Bolívar, 1882, 2 vols.

CALCAÑO, Julio: *Blanca de Torrestella.* Caracas, R. A. García & Cía., 1901, 213 págs.

— *Cuentos escogidos.* Caracas, El Comercio, 1913, 182 págs. (Contiene *Letty Somers* y otras novelitas).

MANRIQUE, José María: *Colección de cuentos.* Pról. de Eduardo Blanco. París, Garnier Hnos., 1897, XI-370 págs. (Contiene *Abismos del corazón, novela en monólogos*).

— *Los dos avaros.* Caracas, 1879, 176 págs.

MICHELENA, Guillermo: *Gullemiro, o las pasiones.* Caracas, 1864, 416 págs.

MONTES, Ramón Isidro: *Ensayos poéticos y literarios.* Caracas, Imprenta del Gobierno Nacional, 1891, XXXI-582 págs. (Contiene *Boves,* novelita).

TORO, Fermín: *Los mártires.* El Semanario, 1878, año I, nos 25-31.

YEPES, José Ramón: *Novelas y estudios literarios.* Maracaibo, Imprenta Americana, 1882, 319 págs. (Contiene *Anaida* e *Iguaraya.*

DATE DUE